Oscar bestsellers

FABIO VOLO

# ESCO A FARE
# DUE PASSI

OSCAR MONDADORI

© 2001 Arnoldo Mondadori Editore S.p.A., Milano

I edizione Arcobaleno gennaio 2001
I edizione Oscar bestsellers aprile 2002

ISBN 88-04-50499-4

Questo volume è stato stampato
presso Mondadori Printing S.p.A.
Stabilimento NSM - Cles (TN)
Stampato in Italia. Printed in Italy

Ristampe:

12   13   14   15   16   17   18   19

2005    2006    2007    2008

www.librimondadori.it

# Indice

*Questo libro l'ho scritto prima di lavorare veramente in radio tutte le mattine, quindi ogni riferimento alla radio o a personaggi della radio è inventato.*

*Vorrei ringraziare chi direttamente o indirettamente mi ha aiutato, ispirato o semplicemente incoraggiato:*

*mio padre, mia madre e mia sorella. Fabrizia e i miei nonni.*

*La Laura per le sue attenzioni.*

*Angelo, Nicola, Francesco, Larissa, Daiana, Fanny, Andrea Pellizzari per la sua pazienza, Sandro, Gianluca, Nicola S., Samantha, mio cugino Luca, Simona, Paolino, Francesca, il pane, Max, Anna, la Stefy, Filippo dell'hotel di Riccione, Elisa, Omar, Kate, Deborah, tutti i butei (Cristian, Bingo, Lupo, Celli, Ivo, l'americano), Mattea, Flavia, Geppo il gelataio, Barbara di Modena.*

*Silvano Agosti per le sue parole e la sua delicatezza.*

*Beppe Caschetto perché è Beppe Caschetto, tutti i gnari del mondo.*

*La musica, i bambini, le bolle di sapone e i colori.*

*Grazie veramente.*

# Esco a fare due passi

*Alla mia famiglia*

Mi dice la mia casa:
«Non abbandonarmi, il tuo passato è qui».
Mi dice la mia strada:
«Vieni, seguimi, sono il tuo futuro».
E io dico alla mia casa e alla mia strada:
«Non ho passato, non ho futuro.
Se resto qui, c'è un andare nel mio restare;
se vado là c'è un restare nel mio andare.
Solo l'amore e la morte cambiano ogni cosa».

*Kahlil Gibran*

# Buon compleanno. Auguri

Fuori piove. Ho deciso. Cioè non è che ho deciso che fuori piove, pioveva già. Ho deciso che ti scriverò una lettera. Oggi che è anche il tuo compleanno. Trentatré per l'esattezza. Così può essere come un regalo, un pensiero, non è un pacco ma una busta... durerà di più.

Mentre apri un pacco, c'è sempre un filo di imbarazzo. La paura che tu non riesca a essere veramente entusiasta nel vedere il regalo. La paura che sul tuo viso si legga quel *«che cazzo ci faccio io con 'sto coso qui»*. Quell'imbarazzo simile a quando qualcuno che non conosci bene inizia a raccontarti una barzelletta, e tu speri veramente che ti faccia ridere, ma magari a metà scopri che la sai già e devi far finta di niente perché ti spiace dirglielo.

Niente imbarazzo tra noi: solamente una lettera.

Quando apri un pacco finisce tutto.

*Oh... una maglietta, grazie.*

*Oh... le Nike, grazie.*

*Oh... una stampante, grazie mille.*

Una lettera occupa meno spazio e più tempo. Ma siccome questo vale anche per i libri, i cd e le videocassette, mi sono accorto di averti scritto una gran cazzata. Scusa.

Cominciamo bene.

Ricomincio:

ha smesso di piovere. E anche stavolta io non c'entro. Peccato, mi piace di più scrivere quando sento la pioggia. Aprirò la doccia.

Buongiorno Nico, ma soprattutto buon compleanno.

Da oggi per un anno saranno trentatré, come gli anni di Cristo o come l'Alfa Romeo di Matteo.

Come ti senti? È diverso da quando ne avevi ventotto come me?

Sicuramente sì, ma sarei curioso di sapere che cosa è diverso, che cosa è veramente cambiato.

Sono passati circa cinque anni da quando ti ho scritto la prima volta e negli ultimi cinque anni nella mia vita ne sono cambiate di cose, figuriamoci nella tua.

Cerco di immaginare dove sei ora, mentre leggi questa lettera, ma la memoria che ho di te è vecchia.

Ho deciso di scriverti perché è un periodo strano, di confusione silenziosa. Mi sento come anestetizzato dalla vita, sento che deve succedere qualcosa, ma non so cosa. O forse è solo il mio desiderio di cambiamento che me lo fa pensare.

Ma qualcosa mi manca. Ti ricordi? È sempre stato così, lo sento da come respiro la vita.

Sento che mi manca come se mi fosse già appartenuta e qualcuno me l'avesse portata via.

Ma non so esattamente cos'è.

C'è chi cerca l'altra metà della mela, io sto cercando ancora la mia mezza. Sono uno *spicchio di me stesso*.

Ho deciso di parlartene, di scriverti perché tu sei più grande, hai visto e vissuto molte più cose di me, e magari la tua metà l'hai trovata.

Credo che ti chiederò un sacco di cose, perché in

questo momento sono un po' confuso. Non capisco. È un po' che penso a questa lettera, a cosa scriverti, ma non tutti i miei pensieri arriveranno a te perché la mente è più veloce della mano e quindi tanti di loro andranno persi. Quello che ti scriverò sarà ciò che la mano e la memoria riusciranno a catturare. Saranno sicuramente pensieri confusi, pieni di contraddizioni e forse anche un po' banali.

Nico, mi sembra di diventare semplicemente un trionfo di luoghi comuni: anzi, ho paura di esserlo già.

Comunque, ho ventotto anni e ci capisco meno di quando ne avevo venti. Speravo che crescendo sarebbe stato tutto più chiaro. Speravo di capire le cose che voglio, i miei obbiettivi, i miei gusti, i miei desideri, e invece no, qui è sempre tutto da capo. A volte vorrei già essere più grande. Avere quell'età in cui ciò che volevo fare purtroppo non l'ho fatto, ma ormai è tardi, e così lo metto via e non ci penso più. Mi accontento, mi standardizzo, insomma mi *sistemo*.

Ma quali cacchio sono le cose che voglio fare?

Per esempio, parlando di lavoro, ti ricordi di Paolo? Lui alle medie diceva che avrebbe fatto l'architetto, e architetto è diventato: ha scelto la sua strada e l'ha percorsa. *Via degli architetti.*

Io invece la mia strada non l'ho ancora decisa, o meglio non l'ho ancora capita. A volte ne inizio una e poi a un certo punto non mi piace più il paesaggio che vedo, e allora esco alla prima uscita. O al massimo la ritardo e mi blocco in qualche Autogrill.

Non mi pongo nemmeno il problema di capire se sia giusto o no percorrere una strada e cercare di arrivare il più lontano possibile, perché il mio problema è un passo indietro. Il mio problema è: *Qual è la mia strada?*

Forse è solo una questione di immaturità: non voglio fare il salto, non voglio saltare la mia linea d'ombra, ma il fatto è che oltre a non sapere cosa è giusto o sbagliato per me, non posso nemmeno saltare perché non vedo nessuna nave nel mio porto. Sono un passo indietro dal decidere tra la cicala e la formica.

C'è anche da dire che io sono molto umorale. Ci sono giorni che mi sveglio e vorrei cambiare ogni cosa, scoppio di sicurezza e mi sento come Tony Manero quando esce di casa e dice: «Vado a farmi il mondo». Poi magari il giorno dopo sono l'uomo più insicuro dell'universo, mi faccio mille domande e tutto diventa come un'enorme cartina geografica da ripiegare – una cosa che non sono mai stato capace di fare. Quando ne apro una rimane aperta sul sedile dietro della macchina per mesi. Tiene compagnia alle bottigliette d'acqua vuote che rotolandoci sopra mentre viaggio diventano passeggeri metaforici della mia vita e del mondo.

In questo periodo mi sento come *Alice nel paese delle meraviglie* quando mangia il fungo e passa da grande grande a piccola piccola.

Il mio umore è come un pene insicuro e indeciso. Un po' guarda in su e un po' guarda in giù.

Insomma, continuo a camminare, poi torno indietro, faccio un passo avanti, due di lato. Il mio non è un cammino, ma la danza tribale di un ballerino bendato, con qualche livido.

A volte vorrei mollare tutto. Vorrei andarmene da qualche parte nel mondo, perché ci sono giorni che qui mi sta stretto tutto. Questo mio disagio non mi fa capire dove sta il coraggio. Se lascio tutto e me ne vado, è coraggioso, o sto solo scappando? O è più coraggioso rimanere, affrontare le cose e cercare di cambiarle? Non capisco dove sta la mia libertà, non capisco da cosa sono schiavizzato.

Immaturo, immaturo, immaturo.

Addirittura ci sono dei giorni che affido le mie decisioni a dei giochetti. Tipo: se si apre l'ascensore entro cinque secondi, o se nel camminare pesto delle righe del marciapiede, se accendendo il cellulare ricevo un messaggio, allora la mia decisione dev'essere sì. Se non succede, è no. A volte invece in metropolitana o in treno o sull'autobus mi fisso su una persona, mi concentro e mi ripeto: «Girati girati guardami guardami girati adesso e subito». Se si gira è sì.

Ma il colmo è che se la decisione non mi convince, o non è quella che voglio veramente, penso che non vale e che era solo un pre-riscaldamento, e riprovo. Anche due o tre volte.

Sento che ho perso in modo chiaro il mio obbiettivo: c'è nebbia qui, nebbia e foschia.

Mi sento come uno scalatore appeso alla parete rocciosa che vede solo ciò che ha davanti appiccicato al naso, e non riesce più a vedere la cima, la vetta, il motivo per cui sta scalando, e nemmeno cosa sta scalando.

Forse ho bisogno di scendere un attimo e chiarirmi bene le idee.

Mi sento solo, Nico, non vedo e non sento nessuno che mi capisca veramente fino in fondo, forse perché sono già io il primo che non si capisce, ma qui, credimi, è tutto un delirio.

Ho sempre voluto fare ciò che volevo nella vita, sono sempre stato pronto a rimettere tutto in gioco, spinto dalla solita irrequietezza, voglia di cambiare, di scappare, di iniziare. Del resto, ho sempre dato il massimo di me negli *incominci*. Quando inizio una cosa sono sempre bravo, poi mi perdo, piano piano mi spengo, sono come un libro che ha un'introduzione della madonna, ma già nel secondo capitolo si ridimensiona tutto, e lo butteresti nel cesso.

Come quando mi viene il trip di mettere in ordine la stanza e tiro fuori tutto dai cassetti e dagli armadi e poi mi stufo e non ho più voglia di mettere a posto e mi trovo in mezzo a un casino peggio di prima.

Negli *investimenti a lungo termine* sono decisamente la persona meno adatta. Lo si capisce anche dal fatto che nella mia vita non ho mai comprato un salvadanaio senza il buco sotto. Quelli dove c'è solo il taglietto sopra, mai. I miei sotto hanno sempre avuto il tappo, infatti un sacco di volte sono andato a sfilare i millini, o semplicemente a contare quanti soldi c'erano.

Nella pagina delle cose certe che voglio nella mia vita ci sono scritte poche righe, fra l'altro qualcuna anche a matita, mentre in quella delle cose che non voglio c'è più roba, c'è più sicurezza, più determinazione. Tutto questo per dirti che anche in questo momento, come ho scritto prima, non so esattamente cosa voglio – come sempre, anche in questo momento so solo ciò che non voglio. E non ti sto parlando di lavoro, non ti sto parlando di professione. Parlo di ruoli: non so in che ruolo sto giocando questa partita e non so che ruolo giocare. Sinceramente non ho nemmeno capito che gioco è.

Devo essere più responsabile o va bene così?

Ci sono dei giorni in questi ultimi anni che mi sento assalire da una sensazione di irrequietezza. In quei giorni non ho voglia di uscire e nemmeno di rimanere in casa. Vorrei strapparmi la pelle di dosso. Anche il mio corpo diventa una gabbia.

È come se la vita in quei momenti mi infilasse un dito nel sedere. Se sto seduto lo sento e mi viene istintivo alzarmi, se cammino lo sento e mi viene da sedermi. Con quel dito in quel posto è come se la vita mi volesse dire che non c'è più tempo da perdere, che c'è da prendere una decisione, che non si può più fare finta di niente. Ho provato a distrarmi in un sacco di modi per cercare di non sentirlo: shopping, sesso, droghe, viaggi, ma quel dito rimane. Devo capire come si toglie.

AIUTOOOO!!!

Immaturo, immaturo, immaturo.


Il direttore della radio dove lavoro mi ha offerto un contratto di cinque anni come speaker e collaboratore. Mi ha detto: «Se accetti, oltre ad avere un aumento notevole di stipendio, la cosa che più conta è che come collaboratore ti si apre una possibilità di crescere professionalmente e di pensare al futuro in modo più sereno. È una grande occasione, non puoi pensare di fare lo speaker tutta la vita».

Questa «grande occasione» invece che farmi contento, mi ha mandato in sbattimento. Come è la vita: qualche anno fa per una proposta così avrei fatto salti di gioia alti come quelli che faceva Magic Johnson.

Lavorare in una radio è quello che ho sempre voluto fare, ma adesso che succede? Quello che una volta per me sembrava libertà adesso mi sembra prigione.

Il motivo per il quale faccio il DJ in radio credo sia dovuto, oltre che al mio amore per la musica, anche al fatto che sono un egocentrico per natura. Lo sono sempre stato anche da piccolo. Mi ricordo quando andavo al lago con i miei genitori. Passavo tutta la giornata a fare i tuffi. Prima di buttarmi però chiamavo sempre mia madre per farmi vedere: «Mamma, mammaaa, guardamiii...». E se, quando tornavo a galla, la vedevo chiacchierare con le sue amiche invece di guardarmi, ci rimanevo malissimo. Non puoi capire come una cosa così piccola per i grandi fosse un'enormità per me. Non aveva dato la giusta attenzione a *Mister Tuffo*.

Cacchio, mi tuffavo nel lago e non mi guardava. Poi però quando facevo il bagno a casa nella vasca ogni cinque minuti passava e mi chiamava: «Sei ancora vivo?». Se non ero sott'acqua a sentire i mille rumori della casa rispondevo: «NO!».

Comunque, io lo avrei guardato *Mister Tuffo*.

Ho passato tutta la mia vita a cercare qualcuno che guardasse i miei tuffi e mi dicesse che ero stato bravo.

Andavo al mare per abbronzarmi e man mano che diventavo nero pensavo già a cosa mettermi. Il primo pensiero volava alla camicia bianca, ma era troppo scontata, avevo paura che si scoprisse la mia vanità. Meglio la maglia nera.

Egocentrico e vanitoso. La sofferenza era già alla porta.

Ho smesso di studiare presto, ho sempre avuto un brutto rapporto con la scuola, ho fatto un sacco di lavori e in tutti volevo primeggiare, volevo diventare qualcuno, insomma, volevo sempre fare dei bellissimi tuffi. Ora credo di essermi semplicemente rotto le palle. Voglio tuffarmi solo per il gusto di entrare in acqua.

Ma questo è veramente il lago dove mi voglio tuffare? È un periodo che forse comincio a sentire la piccola strada del ritorno: sento una strana voce che mi dice di fare un passo indietro, di essere sempre in campo, ma non più come attaccante, meglio come portiere, o al massimo difensore.

Se la vita fosse una band, adesso vorrei suonare la batteria o il basso. Ma forse è solo un voler ancora temporeggiare. Fare melina.

Anche nel frequentare le persone ho dato un giro di chiave, ho scremato un po' le amicizie: meno persone attorno, meno donne e relazioni inutili, meno dispendio di energia e meno sorrisi forzati, tutto più intimo e sincero.

Ho eliminato il più possibile le donne McDonald's per esempio, quelle che ti fai quando l'ormone ti assale, quando sei super eccitato, quando lo sperma ti annebbia la vista; quelle che ti fai perché hai fame, fame fame, ma che sai già che poi ti pentirai. Come quando appunto vado da McDonald's e mentre ordino il Big Mac non vedo l'ora di mangiarlo e poi subito dopo mi odio per esserci andato (a volte ne mangio anche due).

Goloso, goloso, goloso.

In generale diciamo che ultimamente nella mia vita ho messo all'ingresso un omino che fa la selezione. Come davanti alle discoteche.

Il DJ in radio è un lavoro che mi piace, come in tutti i lavori ci sono dei compromessi, ma non mi posso lamentare. Per compromessi intendo mettere in onda anche canzoni che non mi piacciono molto, oppure essere sempre di buon umore, e tu sai quanto sia difficile per me fingere il mio stato d'animo.

L'anno scorso il direttore della radio mi ha scelto

per fare delle pubblicità, mi ha anche offerto un sacco di soldi, e quando ho rifiutato sono stato perfino costretto a giustificarmi.

Io faccio questo lavoro perché amo la musica e amo dire ciò che penso, e anche se – come tutti – voglio guadagnare dei soldi, li voglio guadagnare inseguendo i miei sogni. Non voglio guadagnare soldi inseguendo i soldi.

Non voglio essere ricco, voglio essere *libero*.

Una parte di me per esserlo deve avere dei soldi, per poter vivere, ma ce n'è un'altra che per esserlo ha bisogno di tutt'altro.

Dentro di me esiste un omino che lavora part-time, un omino che quando si sveglia deve fare, scrivere, disegnare, fare rumore; insomma deve farsi sentire, e se durante la sua apparente assenza si sono fatte cose che non approva, lui distrugge tutto. Io convivo con questo piccoletto ormai da anni, e se è vero che ogni uomo ha un prezzo, ti assicuro che lui non ce l'ha e se non lo faccio esprimere divento pazzo e vado in overdose di energia psichica.

Per questo non voglio semplicemente diventare ricco, perché devo essere prima di tutto libero, altrimenti impazzisco e dei soldi non me ne faccio niente.

Questo è un concetto che il mio direttore non capisce e non capirà mai, nemmeno se gli faccio un disegno, nemmeno se gli parlo in stampatello.

Questo è un grande compromesso: avere a che fare ogni giorno con persone che parlano un'altra lingua. Io non chiedo niente a loro se non di poter essere me stesso, eppure, per poterlo essere, ho bisogno di giustificarmi.

Non ho ancora trovato il dizionario per tradurre il mio linguaggio con il loro: quando devo parlare a questo tipo di persone mi mancano i vocaboli, spesso i miei sinonimi sono i loro contrari.

Per fortuna che poi basta che metto in onda uno dei miei pezzi preferiti e per un po' sono anestetizzato, drogato, senza pensieri.

Credo che per me una delle fortune più grandi nella vita sia l'amore per la musica. Ancora oggi quando sento un pezzo che mi piace, mi viene la pelle d'oca e rimango in estasi, incantato dal pifferaio magico, e questo succede ovunque mi trovi, e qualsiasi cosa stia facendo; anche se sto parlando mi interrompo, come innamorato, catturato. In tutto questo delirio di vita, la musica è una certezza. Farsi una canna la sera e ascoltarsi un cd in cuffia è ancora una cosa che si può catalogare sotto la «I» di *impagabile*, e tu sai di che parlo: giusto volume, bassi a palla, luci spente, solo grattacieli illuminati che salgono e scendono nell'amplificatore... *wow!*

Meglio di un orgasmo. O quasi.

In casa mia lo stereo è sempre acceso, ho messo talmente tanti cd che c'è stato addirittura un periodo in cui lo stereo sceglieva per conto suo. In realtà si stava solo rompendo, ma prima di scassarsi del tutto aveva iniziato a selezionare, a farsi un gusto personale. Alcuni cd li leggeva, altri non voleva suonarli: non aveva nemmeno un brutto gusto, diciamo che a parte quella volta che non voleva leggere *Fight for your mind* di Ben Harper, per il resto non sbagliava, e spesso mi convinceva a cambiare.

Vivo di musica, nella mia vita c'è sempre un sottofondo musicale, ogni momento importante della mia vita è legato a una canzone, e ogni volta che la sento parte il mio videoclip personale.

Quando devo scendere dalla macchina e l'autoradio sta suonando un pezzo che mi piace, non riesco a spegnerla, devo aspettare che finisca o se proprio sono in super ritardissimo, per spegnere devo sfumare abbassando piano piano il volume.

Qui te lo devo chiedere: «Nico, che musica ascolti ultimamente?».

Solo cose nuove che io nemmeno conosco, o nella colonna sonora della tua vita ci sono ancora Jimi Hendrix, Bob Marley, Eric Clapton, Jeff Buckley, i Police, gli Stones?

Spero che tu risponda a tutte queste domande quando leggerai questa lettera, servirà anche a te per fare una specie di resoconto, per chiarirti meglio le idee e capire meglio chi sei. Dalla musica che uno ascolta si capiscono un sacco di cose.

# Relazioni yogurt

Sentimentalmente... la mia vita è una frana. Come sempre non sono fidanzato, ho delle storie, delle relazioni, ma a livello di rapporti di coppia sono sempre immaturo, non so amare, sono come un bambino.

Immaturo, immaturo, immaturo.

Credo che sia paura. Paura d'amare. Credo sia restare soli per paura di rimanere soli. Paura dell'abbandono. Non voglio essere abbandonato da nessuna parte e da nessuno. Non voglio essere abbandonato a una fermata del tram, né in un grande magazzino, o in un bar. Non voglio essere abbandonato da una donna, da un amico, da una pianta, dalla mia famiglia e nemmeno abbandonato da me stesso. Quando scendo troppo a compromessi sento che mi sto un po' abbandonando. Ma non voglio.

La mia paura di soffrire con le persone mi ha portato ad avere uno strano meccanismo. Quando conosco qualcuno che mi piace cerco subito qualche difetto anche piccolo e me lo metto lì da parte, e come un'arma la tengo pronta per sferrarla in caso di necessità. Se la persona mi ferisce, quel piccolo difetto diventa enorme e mi aiuta a screditarla e a soffrire di meno. Sarà per questo che sono single?

Immaturo, immaturo, immaturo.

E sì che non sono difficile, se pensi che sono solo due le categorie di ragazze con cui non potrei mai stare: una è quella che sale sulle spalle di qualcuno ai concerti e se ne frega di quelli dietro, e l'altra è quella che vuole andare con il risciò sul lungomare.

Se invece parliamo delle caratteristiche che deve avere, diciamo che ce n'è una che assolutamente non deve mancare, ed è che io voglio una ragazza comoda. Per comoda intendo per esempio che se dobbiamo sederci per terra non mi dice che ha paura di sporcarsi i pantaloni, comoda vuol dire che se vado a trovarla a casa la domenica, non è di quelle che ti aprono la porta già truccate e vestite come quando sono fuori. Comoda per me vuol dire che non risponde in modo automatico alla richiesta: «Belli, perfetti e pronti».

Un'altra caratteristica che deve avere è la capacità di rimanere sola. Conosco un sacco di persone che non riescono a stare sole, persone che escono tutte le sere, che vanno a trovare chiunque, che si iscrivono a mille corsi: taglio e cucito, funky step, aerobica, inglese, spagnolo, balli latinoamericani ecc.

Portare fuori il cane la sera era una delle cose che serviva anche a fare due passi e riflettere sulla giornata, era il momento meditativo – magari fumandosi una sigaretta, che per molti come me è carburante per la mente e aiuta a viaggiare.

Per le persone che hanno paura a rimanere sole, il telefonino è arrivato in aiuto, e si è rubato anche quel momento. Il *Grande Fratello* (quello di Orwell, non quello di Canale 5) ha sferrato un altro colpo.

Voglio una che sa stare da sola.

Forse uno dei motivi per cui non sono fidanzato è che io mi sento già da solo una coppia. Litigo con me stesso, mi parlo, a volte non mi sopporto, a volte mi faccio l'amore, a volte mi manco, a volte mi tradisco, capita che mi racconti bugie, che mi dimentichi degli appuntamenti, e spesso mi vorrei lasciare. Un sacco di volte vorrei prendermi una settimana di tempo da me stesso, senza sentirmi, per scoprire come mi sento.

Insomma, io vivo da anni con questa relazione e alla fine, nonostante tutte le difficoltà che si possono avere stando in due, devo dire che ci sto abbastanza dentro. Non è facile rinunciarci.

Certo non posso essere considerato uno difficile per questi motivi. Forse il vero motivo – l'unica mia colpa – può essere quella di fantasticare troppo quando incontro una ragazza, di farmi troppi film in testa, e di rimanere poi deluso dalla realtà. Quante persone come me sono penalizzate dalla propria fantasia: i *registi dell'amore*, quelli che immaginano di fare delle cose, con la ragazza o il ragazzo che hanno appena incontrato, e si fanno dei veri e propri film. Andare a vivere insieme, per poter dipingere la casa (lei rigorosamente in salopette tutta sporca di vernice), o passare dei week-end in una baita di montagna davanti al fuoco, o stare in camere d'albergo con vasca idromassaggio a lume di candela e la mattina dopo abbondanti colazioni a letto, spremuta d'arancia, brioche con la marmellata e caffè.

Una delle mie immagini preferite è quella della casa in Irlanda a strapiombo sul mare, vestiti con grandi maglioni dolcevita, abbracciarla da dietro, e rimanere a osservare davanti alla finestra una natura ribelle, selvaggia e passionale schiantarsi sugli scogli.

Onestamente, la realtà cosa può fare?

È un po' come quando vai a vedere il film del tuo libro preferito: una delusione.

Se è vero che è la fantasia a penalizzarmi in amore, devo dire che comunque altre migliaia di volte mi ha avvantaggiato. Molti credono che la fantasia serva solo per sfuggire alla realtà, mentre quasi sempre serve per capirla e interpretarla meglio.

Comunque con le donne tutti mi dicono che il vero problema è che non ho incontrato quella giusta. Boh... sarà come dicono, ma io credo che siano loro a trovarla troppo facilmente.

Luca, io l'ho sempre visto fidanzato e ogni volta dice di essere innamorato; poi finisce una storia e dopo un mese è nuovamente con un'altra ragazza: o è l'uomo più fortunato della terra o è terrorizzato dall'idea di stare solo.

Secondo me quando dice «ti amo» in realtà vuole dire «ho bisogno di te».

Non sarà insicurezza?

Incapacità di rimanere solo?

Guardandolo mi viene in mente quando ho imparato ad andare in bicicletta. Era un pomeriggio di primavera, mi ricordo che mio padre mi teneva una mano sotto la sella, dopo un po' che pedalavo mi sono accorto che mi aveva lasciato, stavo andando da solo: avevo imparato, mio padre non mi teneva più... Appena me ne accorsi caddi a terra subito.

Secondo me Luca è così, crede di aver ancora bisogno di quella mano sotto il sellino. Ma l'amore non è questo, per lo meno non secondo me.

Io credo che chiunque non riesca a stare bene da solo non possa conoscere il vero amore; dubito sempre di chi dice «non posso vivere senza di te».

Parlo di Amore con la «A» maiuscola, parlo di *Essenza*, parlo di quell'amore che io non ho mai incontrato ma che sono sicuro esista, quell'amore in cui io credo e per il quale non sono disposto a fingere o mediare.

Questo non significa che, in attesa di quell'amore, si debba restare soli, dico che a volte non si dà il giusto valore ai rapporti, ma si tende a imitarne gli stereotipi. Si vorrebbe che ogni volta fosse sempre quello lì, quello giusto, quello che abbiamo aspettato da sempre, anche se nella maggior parte dei casi l'errore nasce dall'amore per l'amore; cioè ci si innamora più del gioco che del giocatore.

Il mio *status single* viene fortemente attaccato soprattutto nei mesi di settembre-ottobre. I primi freddi, le prime piogge... allora mi viene la sindrome del videoregistratore: io, lei, una videocassetta, a letto sotto il piumone. Un quadretto devastante.

Per lo stesso discorso della fantasia, prima o poi tutti sogniamo di essere l'immagine di quei due sulla spiaggia che uno parte da destra e l'altro da sinistra e si incontrano in un abbraccio nel mezzo e cominciano a girare... dico bene?

Tutto questo perché si ha voglia dell'amore, anche se spesso ci accorgiamo di non avere delle buone carte, ma si ha voglia ugualmente di giocare, di rilanciare, per desiderio di un brivido maggiore, per il fascino del rischio, o anche semplicemente per l'idea di avere una gabbia da cui poter scappare. Come quando ti fai dei divieti sul cibo o sulle sigarette, e poi viene il giorno che dici vaffanculo, e mangi o fumi, e ti senti libero, senti che hai rotto le catene: costruisci regole per il gusto di annientarle, finte catene di cartapesta.

Vivo nell'attesa del giorno in cui troverò il grande amore, il giorno del grande incontro, in cui tutto cambierà, tutto verrà trasformato, chiarito e decodificato, e non ho paura che questa attesa mi rovini la sorpresa, perché so che accadrà così, per caso, all'improvviso, un giorno qualunque per molti, ma da quell'istante unico per me.

Ogni giorno della vita è unico, ma abbiamo bisogno che accada qualcosa che ci tocchi per ricordarcelo.

Per adesso, con le donne mi sento sempre come se fossi a Gardaland: non ci puoi vivere a lungo o costruirci una casa, però puoi passarci un bel weekend, ma soprattutto non ci vai mai due giorni di fila.

Immaturo, immaturo, immaturo.

Il problema per me che aspetto l'amore, è che ogni volta che una ragazza mi ha detto «ti amo», io mi sono sempre sentito male, brutto, povero, perché capivo che lì ci stava un bell'«anch'io». Ma per me non era mai così, e mi sentivo in difetto, come quando qualcuno fa un gesto per te, o ti regala qualcosa in un modo o in un momento sincero e inaspettato, e ti spiazza, perché avresti voluto farlo tu, invece neanche ci hai pensato, e ti senti in debito, in colpa, non per il gesto o per il regalo, ma per il motivo che lo ha generato.

A volte quando senti che in amore tu sei il più forte ti pari il culo con frasi tipo «non innamorarti di me». Egoista.

Certo, se penso a tutte le storie che ho avuto nella vita, forse è vero che non ho mai amato una donna, ma di qualcuna sono stato innamorato, anzi più di qualcuna.

Per esempio, ora che è passato un po' di tempo, col senno di poi non so se era vero amore – sicuramente non quello con la «A» maiuscola di cui ti ho parlato prima – ma per Alessia ho provato sentimenti molto forti. Avevo persino pensato che fosse la donna della mia vita e che Dio l'avesse fatta così bella sapendomi molto pigro. Con Alessia, Dio mi era venuto incontro.

Sai qual è la differenza per me, Nico?

Che innamorarsi è una droga, amare è una medicina.

Vivo in questo momento una vita sessuale che si potrebbe anche definire di comodo, niente coinvolgimenti, niente complicazioni, ma – soprattutto a livello pratico – ultimamente molto easy.

Parlo di comodità: hai presente quando vai a casa di una ragazza per fare l'amore e quando hai finito sei lì che vorresti lasciarti morire dal piacere fino ad addormentarti, e invece devi alzarti, rivestirti, e fuori fa freddo, e la macchina è fredda, e la città è fredda, e quando poi arrivi a casa sei sempre più sveglio, tanto che prima di andare a letto butti un occhio nel frigorifero e spilucchi qualcosa, nel buio della cucina con la luce del frigo che ti illumina.

Senza dimenticare che quando vai a casa di certe donne non è che puoi andare via subito, ma non sempre hai la forza di aspettare la luce del mattino per sembrare che sei stato lì a dormire e non farle sentire usate come dicono loro.

Peggio ancora è quando sei a casa tua e la devi riaccompagnare: sei già nel *tuo* letto, e devi uscire, rivestirti, e fuori fa freddo, e la macchina è fredda, e la città è fredda ecc. ecc.

Ecco, per comodità intendo dire che ultimamente vengono loro a casa mia, con la loro macchina, e quando se ne vanno devo solo impegnarmi con l'abbraccio e il bacio davanti alla porta.

In quel caso la cosa più fastidiosa per me è quando ti baciano prima di uscire e ci mettono ancora la lingua. Anche se è brutto devo confessare che a quell'ora non ci riesco proprio, e spesso mi verrebbe da dire: *Basta dàiiii!!!*

Non so vivere in modo sereno i rapporti di coppia. Prendi appunto Alessia: lei era entrata in quella parte del cuore dove ci sono le cose più buone, quella simile a una credenza dei dolci dove c'è la Nutella, i biscotti, le merendine, la marmellata; quell'angolo di cuore dove quando uno ci entra, succeda quel che succeda, da lì non uscirà mai. Non c'entra l'amore. Ci sono persone che da quando le conosci non smetti mai di volergli bene.

Alessia è una di queste, me ne sono accorto subito, e sono sicuro che anche tu te la ricordi ancora.

L'ho conosciuta e il giorno dopo abbiamo fatto l'amore; lei non mi ha recitato il solito monologo dell'*era troppo presto*, che suona pressappoco così:

«Mi sembri strana. Cos'hai adesso?»

«No, niente...»

«Sei sicura?»

«... No, è che pensavo... chi sa adesso che idea ti sei fatto di me, è successo tutto così in fretta, lo so che adesso tu non mi crederai, ma a me non era mai successo, non so cosa tu mi abbia fatto, cioè di solito succede dopo un po' tu invece magari pensi questa qua fa così con tutti...»

Le prime volte che mi dicevano queste parole, ci credevo e pensavo di essere un fenomeno della gnocca, una cintura nera di petting.

Lei no, lei non recitò la parte, perché la sua forza è sempre stata quella di vivere serenamente la vita e accettarsi per ciò che è, infatti pur non avendo un gran bel culo, non si legava le felpe e i maglioni in vita.

Quando ho fatto l'amore con lei la prima volta pensavo di impazzire, credevo che il mio cuore non potesse reggere tanta emozione, facevo fatica a respirare. Il profumo della sua pelle era stato creato per me: era una droga, e da quel momento avevo bisogno almeno di una dose giornaliera per stare bene. Un profumo che annusi e dici: *casa*.

Mentre ero dentro di lei il suo sguardo aveva una luce divina che brillava. Mi veniva da proteggerla, la vedevo indifesa e fragile.

La prima volta che si è fermata a dormire da me, mi fischiava il naso: porcogiuda ero infastidito da questo mio *fiiii... fiiii... fiiii* perché non la volevo disturbare. Mi sono infilato indice e pollice nelle narici cercando di allargare le due caverne. A parte questo, che figata, sentire la sua pelle calda sulla mia, la mia gamba tra le sue, coscia-cosce, fianco-pancia, braccio-collo – che per non disturbare (anche qui) l'ho lasciato sotto più di quanto potevo sopportare, e dopo un po' avrei voluto sganciarlo, dal formicolio. Ho cambiato posizione e durante la notte l'ho abbracciata da dietro, la sua schiena sulla mia pancia era veramente *wow*!

Ricordo che quella mattina doveva alzarsi presto. La sveglia sul mio comodino è suonata alle sette; Alessia si è distesa su di me per spegnerla e poi è rimasta lì con la testa sul mio petto. La sua testa profumava di buono e anche se era solo l'inizio io ero già *finito*: cotto come una pera, cotto come il prosciutto.

Un'altra cosa che mi è piaciuta di lei è che non mi ha detto che sapeva cucinare il risotto alle fragole. Intendo dire che non è stata di quelle che al primo appuntamento vogliono essere particolari a tutti i costi, quelle che appunto per essere originali ti dicono che cucinano un risotto alle fragole eccezionale, che sono un po' pazze, la pecora nera della famiglia.

Devo dire che a volte anch'io, quando mi piaceva qualcuna, per far colpo ho detto delle cose di me non del tutto vere, anche se nel dirle alla fine ci credevo anch'io, ma poi per reggere la parte ho dovuto sputare sangue. Ora ho imparato: non dico niente di me che non sia vero o che non possa sostenere.

Infatti sono solo.

Ai primi appuntamenti avevo le frasi preparate, quelle che avevano avuto successo le volte precedenti. C'è stato un breve periodo della mia vita da *conquistatore adolescenziale del sabato sera* in cui usavo le «leggende metropolitane».

Le storie di maggiore effetto erano quella dei due che erano andati al pronto soccorso incastrati uno nell'altra, o di quello che era stato trovato senza reni in un campo vicino a una discoteca, o di quella che aveva fatto diciotto pompini al suo diciottesimo compleanno ed era andata all'ospedale perché aveva bevuto 33 centilitri di sperma... come una lattina di Coca-Cola.

Effettivamente chi le sentiva per la prima volta rimaneva colpito, anche se devo dire che con le ragazze faceva più effetto parlare di scrittori, poeti o cantanti.

Ma non ci sono strategie quando arriva una come Alessia nella tua vita. Tutto quello che hai sempre detto fatto e pensato deve essere rivisto.

Alessia era entrata nella mia vita con prepotenza e aveva annientato ogni cosa presente prima di lei.

Mi sentivo una canzone, una poesia. La trovavo in ogni cosa, nelle vetrine, nella colazione, sul cuscino. Questo succedeva anche con i suoi capelli. Li trovavo dappertutto. Sarebbe stata un'amante pericolosa: lasciava capelli ovunque. Ovunque! Una mattina, dopo che avevamo fatto l'amore tutta la notte, sono andato in bagno e ho visto che sulla punta del mio pisello c'era un peletto, ma poi nel toglierlo mi sono accorto che un suo capello si era attorcigliato attorno al glande.

Quanto mi piaceva Alessia!

Mi svegliavo e subito accendevo il telefonino per vedere se era arrivato un suo messaggio, e ogni volta che sentivo il suono (*piripì piripì*) mi veniva un soffio al cuore, lo leggevo e cercavo di capire se poteva essere il suo, prima di leggere il numero. Se era suo, e se c'era scritto qualcosa di carino, non lo cancellavo per delle settimane. Mi piaceva tenerlo e poi ogni tanto rileggerlo.

Una volta ho letto «ti penso», poi ho scoperto che non era un suo messaggio e mi ha infastidito che qualcuno mi stesse pensando, perché magari in quell'istante mi pensava anche Alessia e poteva trovare la linea del pensiero occupata: *L'utente da lei pensato non è al momento raggiungibile, si prega di ripensarlo più tardi.*

Quando leggevo l'oroscopo, leggevo anche il suo, e ho continuato a farlo anche dopo che non stavamo più insieme.

Alessia era una ragazza fantastica, bella, bella da spettinarti. Le prime volte bastava un suo sguardo e mi sentivo i capelli fuori posto.

Una di quelle ragazze che sanno amare con passione, una di quelle che ti danno l'anima, ma non il culo per intenderci (strana scala dei valori, no?).

Di lei mi piacevano un sacco di cose, da quelle più grandi ed evidenti a quelle più piccole. Adoravo per esempio la sua unicità nel vestire o nel difendere le proprie idee, ero incantato dalle sue mani delicate ma creative, quelle mani mani che si capisce subito guardandole che sanno fare.

Ero affascinato quando si passava la lingua sulle labbra, o quando si metteva a piangere al cinema; ma mi colpiva anche la sua capacità di lavarsi i denti sulla porta della camera, parlandomi e seguendomi o addirittura parlando al telefono – mentre io quando me li lavo devo stare sul lavandino perché produco chili e chili di schiuma bianca.

Certo aveva anche qualche difetto, e li vedevo anch'io, ma non bastavano a farmi cambiare idea. Nemmeno quei suoi piedi gelati, che quando veniva a letto mi veniva il mal di gola per l'urlo che cacciavo. Così freddi non ne ho mai sentiti. Nemmeno il fatto che non sapesse rollare le canne mi faceva cambiare idea; per lo meno aveva la patente (perché se non sai rollare e nemmeno guidare, come si fa a viaggiare?).

Forse un piccolo dubbio l'ho avuto quando sono stato a casa sua e ho visto la moka del caffè nella credenza insieme ai piatti: chiaro segnale che non beveva caffè. Quelle case in cui si fa solo per gli ospiti, e quando succede, fa talmente schifo che se lo vuoi bere devi macchiarlo con qualsiasi cosa: latte, panna, vetril...

Una donna che non sa fare il caffè per me può essere solo un'avventura. Ma a quei tempi non lo sapevo.

Alessia sapeva farmi vibrare la vita, eppure nonostante tutto, quando veniva a casa mia e si fermava a dormire, anche se era sempre bello come la prima volta – coscia-cosce, fianco-pancia, braccio-collo, *fiiii... fiiii... fiiii* col naso – a parte quello, dopo un po' che era lì le chiedevo: «Devi lavorare domani? Devi fare qualcosa?».

In realtà volevo soltanto sapere quando sarei tornato a essere solo; non so perché, ma stavo bene unicamente quando sapevo che per un motivo o per l'altro sarebbe andata via il mattino dopo, riuscivo a lasciarmi andare veramente fino in fondo solo quando vedevo la bandierina dell'arrivo. Insomma la scadenza mi tranquillizzava.

Queste cose succedono anche agli innamorati, o significa che non lo ero? Mi comportavo in modo strano, confuso, ingarbugliato. C'è stato un periodo in cui avrei quasi voluto lasciarla, ma non ne avevo il coraggio. Forse mi ero semplicemente un po' stufato, forse avevo solo voglia di cambiare, forse stava diventando un po' tutto monotono e abitudinario, ma per lasciarla non sapevo come fare. Anche perché, quando ci pensavo, immaginavo subito che qualcuno, sapendola libera, ci avrebbe provato e nonostante tutto ero geloso – vedevo quelle testine spuntare da dietro le montagne come nei film degli indiani, vedevo gli Apaches pronti ad attaccare.

A volte succedeva che iniziavo a litigare per scherzo e poi alla fine litigavo sul serio, ma in quel periodo ero arrivato a un punto che cercavo una scusa per incazzarmi e potermi prendere meritatamente una pausa, speravo di scoprirla con qualcuno, per avere un motivo e uscirne da vittima piuttosto che da carnefice. Ovviamente non volevo scoprirla a letto con qualcuno, era sufficiente trovarla a parlare con uno in un bar o dove lavorava, una stupida occasione per potermici attaccare.

Capisci: scoprirla in flagrante sarebbe stato perfetto, e quindi a volte le facevo le improvvisate.

Preferisco subire piuttosto che procurare il dolore, l'ingiustizia, o la violenza: i sensi di colpa per me sono la cosa più difficile da governare. In realtà, pensandoci, era comunque una violenza da parte mia, una scorrettezza e io non ero altro che un vigliacco.

Almeno da questo punto di vista sono cresciuto, ho imparato a essere più rispettoso con le persone, ma soprattutto con me stesso, e vedere com'ero, anche se parlo di anni fa, mi fa vergognare, mi fa venire voglia di non scriverlo... ma ho deciso di essere il più possibile sincero.

Un'altra cosa che facevo e ora non faccio più è preparare *la tana del lupo*, detta anche *il trappolone*.

Se invitavo una ragazza a casa – quando ero da poco andato a vivere da solo – preparavo delle cose che a dirtele adesso continuo a vergognarmi.

Musica, candele, libri...

Dietro ognuna di queste cose c'era una filosofia.

La musica doveva essere già iniziata e fissata su un punto che avrebbe dovuto far sentire la canzone più bella qualche minuto dopo la sua entrata in casa (lo facevo anche con le cassette in macchina), le candele già un po' consumate per non sembrare una novità e i libri buttati con una parvenza di casualità nei posti apparentemente più inusuali – ovviamente dopo una ricerca accurata sul tipo di libri da usare e sui posti dove piazzarli.

Ora non lavo nemmeno più i piatti.

Dopo tutto questo angolo di sputtanamento, caro Nico, torno a parlarti di Alessia.

Ho sempre saputo, fin dal primo momento, che prima o poi con Alessia mi sarei lasciato in modo ufficiale, cioè lasciato veramente come quelle storie dei film, con tutte le conseguenze di morti e feriti.

Ti dico questo perché avendo sempre avuto delle avventure, delle *relazioni yogurt* (cioè con la scadenza), a volte succede che finiscono senza nemmeno accorgersene: con il passare del tempo ci si chiama sempre meno e poi dopo un po' non ci si chiama più e la storia finisce così. Vasetto vuoto.

Capita di avere delle relazioni che si trascinano senza che nemmeno te ne accorgi, senza che ci pensi, ogni tanto facendo scorrere la rubrica del telefono capisci che devi fare uno squillo per non perdere il giro, e questo è l'unico impegno. Non ci si sente per un mese, poi uno dei due decide di chiamare magari veramente perché stava facendo scorrere i numeri di telefono sulla rubrica e questa chiamata sembra dare il diritto a chi la fa di accusare l'altro di essere sparito. Nessuno dei due chiama e adesso perché lo fai tu, lo stronzo sono solo io?

Ci sono relazioni che sfumano con il tempo; vanno avanti così fino a quando succede qualcosa e lì si capisce che è finita, almeno da parte tua. Basta una cazzata, una piccola pretesa che diventa un problema insormontabile – tipo che ti toglie dallo stereo un cd che stai ascoltando e ne mette un altro senza nemmeno chiedertelo, o magari basta un condizionale sbagliato: «*Se io saprei*».

Addio!

Io credo comunque che le storie finiscano perché devono finire... giusto?

Per esempio, mi sono sempre chiesto perché era finita tra me e Lucia.

La risposta è semplice: è finita perché lei mi ha lasciato. Ma il vero motivo l'ho capito solo da qualche mese. Lucia l'ho conosciuta qualche anno fa. Entro in una agenzia viaggi e su una scrivania c'è scritto LUCIA. Un ragazzo mi dice di accomodarmi che la sua collega arriverà subito. Mi siedo, mi guardo attorno e ovunque appeso al muro c'è il color azzurro del mare.

Ho voglia di partire.

Arriva lei, con un tailleur blu e una camicia bianca. La camicia è un po' sbottonata e quando si abbassa per sedersi intravedo il reggiseno – o reggipetto come direbbe mia madre. Non aveva delle grandi tette, ma essendo nuove e sconosciute, ai miei occhi erano comunque molto interessanti.

Chiedo informazioni e alla fine prenoto un volo per Montego Bay. Quando le ho detto che volevo un biglietto solo per una persona mi ha chiesto subito se non andavo con la mia ragazza. «Non sono fidanzato, niente donna» ho risposto.

Sembrava contenta, o almeno è quello che io ho pensato. Mi ha consegnato il biglietto, indicandomi la data e l'ora di partenza e alla fine ha aggiunto: «Quando torni mi inviti a cena e mi racconti come è andata, ok?».

Era la prima volta che incontravo una che mi incuriosiva prima di partire per un viaggio. Di solito incontro persone che mi incuriosiscono sempre il giorno prima di ritornare a casa. Al rientro, forte della mia abbronzatura, l'ho chiamata e, visto che avevo problemi con il fuso orario e lei aveva già un appuntamento, ci siamo visti due sere dopo. Le avevo anche portato un pensierino.

Lucia era una ragazza molto intelligente, carina e con un sacco di interessi. Amava l'arte, il cinema, il teatro ed era anche tifosa di calcio. Intenditrice di vini, di ristoranti dove si mangia bene e cultrice del relax. Quindi sauna, bagno turco, idromassaggio, massaggi ecc.

Una di quelle persone quasi perfette: così interessanti, attive e con una vita talmente piena e ricca di cose, che uno pigro come me dopo un po' molla il colpo. Era talmente attiva e io talmente pigro che mi ha preceduto e mi ha lasciato lei. Comunque prima di farlo ci siamo divertiti molto.

Lei oltre a essere sicura di sé era anche molto intraprendente e piena di iniziativa. Da quando ci siamo messi insieme, praticamente da subito, la sera della cena, credo di non aver mai fatto più di dieci chilometri in macchina senza che mi prendesse il cazzo in bocca. Voleva sempre prenderlo in bocca: in macchina, al cinema, nei bagni del ristorante. Tra una portata e l'altra mi pregava di accompagnarla in bagno chiedendo scusa agli altri. Poi entrava, mi trascinava dentro, mi sbatteva contro il muro, me lo tirava fuori e mi spompinava. A volte si sollevava la gonna, spostava la mutanda (se l'aveva), alzava una gamba e se lo metteva dentro. Mi leccava il collo e mi sussurrava nell'orecchio: «Vienimi dentro». Venivo, lei si sistemava un po' i capelli e poi tornavamo a tavola.

Mentre scopavamo mi diceva delle cose che invece di farmi venire un'erezione mi facevano venire una paresi al cazzo. Duro, duro da culo. Voleva farsi scopare da dietro, mentre si affacciava alla finestra. Io affondavo le mie mani nel suo sedere e guardavo il mio pisello sparire e ricomparire tra le sue chiappe. Voleva farlo in cucina sulla sedia mentre si cenava, voleva farlo sulle scale prima di entrare in casa, in macchina sulle piazzole di emergenza dell'autostrada.

Voleva farlo sempre e ovunque e lo facevamo, lo facevamo e lo facevamo, sempre e ovunque.

Quando finivamo di fare l'amore le grandi labbra della sua patata mi guardavano tutte rosse e mi dicevano: «*Torna presto a trovarci*».

È stata l'unica ragazza che ho avuto che ce l'aveva rasata.

I primi giorni il mio pisello mi strizzava l'occhio e mi ringraziava per il banchetto; mi bastava sentirla al telefono e mi diventava duro. Pazzesco, diceva «*pronto*» e io lo ero veramente. Raramente di giorno pensavo a lei senza che questo non mi procurasse un'erezione.

Credo che Lucia mi abbia lasciato a causa del suo modo di divorare la vita, per lei ero come un fazzoletto di carta quando hai il raffreddore o una sigaretta quando sei nervoso, anche se quando stavamo insieme mi diceva che non era mai stata così, mi diceva che ero io a eccitarla in continuazione. Che le facevo uno strano effetto e che avrebbe voluto sentirmi sempre dentro di lei. Pensa che bello se fosse stato vero. Se me lo avesse detto qualche anno prima ci avrei anche creduto.

Il sesso con lei è una delle immagini più inflazionate nella mia mente quando mi faccio le pippe.

Lucia l'ho rivista qualche mese fa. Si è rifatta il seno, enorme, e io mi sono rifatto Lucia, alla grande. Ma il seno rifatto non mi piace molto. La trombata con la ex invece sì.

Anche quando ci eravamo lasciati c'è stato comunque un periodo in cui ogni tanto si trombava ancora. Poi un giorno, dopo averlo fatto, si è sentita nell'aria una sensazione che faceva capire in modo silenzioso che quella sarebbe stata l'ultima volta. Una specie di tristezza, di solitudine, come qualcosa perduto per sempre. Invece, qualche mese dopo è successo nuovamente. Saranno state le tette. Saranno state le seghe.

È stata l'ultima volta che l'ho vista che ho capito perché era finita, perché non eravamo fatti l'una per l'altro. Quando sono andato a casa sua la prima volta ho fatto quello che faccio solitamente quando esco con una persona che conosco poco. Guardo i libri e i cd che ha.

Il mio sguardo scorreva sulla mensola dei cd: Lenny Kravitz, Rolling Stones, Iggy Pop, Sade, Belle e Sebastian, De André, UB 40...

Come nel film *L'odio*, mi ripetevo: «Fino a qui tutto bene, fino a qui tutto bene, fino a qui tutto bene».

La vedevo già tenere in braccio il nostro bambino, nella nostra casa, dove si consumava il matrimonio più bello e azzeccato del secolo. Con questi cd non poteva che essere lei la donna della mia vita.

Qualche mese dopo la trombata con le tette nuove, però, sono andato da lei a prendere un cd e ho capito tutto. Ho capito la causa della nostra separazione: tra l'album dei Nirvana e quello dei Subsonica c'era lui, Michael Bolton. Addio bambino in braccio, addio casa insieme, addio matrimonio perfetto.

Addio Lucia.

Una volta mi sono invaghito di una ragazza che si chiamava Laura, ma tutti la chiamavano Lauretta. Era dolce, carina e molto timida. Lei era esattamente: *Respiri piano per non far rumore ti addormenti di sera e ti risvegli col sole, sei chiara come l'alba, sei fresca come l'aria...* Mi ricordo che aveva una Y10 piena di peluches. Era praticamente una jungla, quella macchina.

Era un periodo della mia vita che volevo una ragazza brava, seria e anche un po' timida. A Lauretta sentivo di piacere un sacco, lei mi faceva sentire l'uomo più bello del mondo. Mi sentivo un figo, come quelli fighi veramente. Mi sentivo importante ed emozionante.

Forse in quel periodo avevo bisogno di un po' di sicurezza, di conferme, di certezze. Non ho mai voluto parlare di musica con Lauretta durante i venti giorni del nostro fidanzamento.

Ma un giorno entro a casa sua. I suoi non c'erano, c'era solo la nonna seduta davanti alla televisione. Quando sono entrato in camera, ho visto che aveva più cassette che cd: la mensola musicale più spaventosa che abbia mai visto. Ron, Mina, Celentano, Mariah Carey, Céline Dion...

Mi sento cattivo ad andare avanti, però non è una cosa così insignificante come sembra. Stiamo parlando di Musica.

Addio anche a te, Lauretta. Salutami la nonna.

Ma una vera storia d'amore è stata quella con Alessia – che un giorno mi lascia e si mette con un altro. E io impazzisco. Un uomo morto, ero un uomo morto. Qualche mese prima volevo lasciarla per poter trombare a destra e sinistra e poi d'un tratto mi trovo a piangere perché lei mi ha lasciato.

Che cosa è 'sta situazione, 'sto sentimento? Tutto il mondo mi crolla addosso. Io potevo andare con un'altra, ma lei no, per lei era diverso. I suoi rapporti non sono stupide avventure... cazzo! Lei sa sempre il nome di quello con cui va a letto.

Giravo come un coglione per la città, andavo a trovare chiunque, vecchi amici, baristi, puttane, pur di non rimanere da solo, pur di non lasciare spazio a quel pensiero che sentivo pronto a entrarmi nella mente e farmi perdere ogni controllo. Come Jack Nicholson in *Shining* voleva entrare con l'accetta e farmi a pezzi.

La cosa che mi massacrava di più era immaginarla a letto con un altro, immaginare il suo viso mentre stava godendo o mentre gli faceva una pompa. Immaginavo le mani di lui sui suoi seni, immaginavo la sua lingua sul collo, la immaginavo ridere felice abbracciata a lui, immaginavo la punta rossa del suo naso seguire il profilo della faccia di lui, quella faccia da cazzo, come sono tutte le facce di quelli che stanno con chi vorresti stare tu.

Passavo le ore con il telefono in mano e mi ripetevo *chiamo non chiamo chiamo non chiamo chiamo non chiamo* e poi una vocina mi diceva: «Dài chiama che magari la becchi in un momento di malinconia, in un momento che magari ci sta un po' ripensando, magari la fai ridere un po', magari si intenerisce e magari poi vi vedete e tutto questo incubo finirà».

*Chiamo non chiamo chiamo non chiamo chiamo non chiamo...* chiamo!

Come minimo dormiva, oppure cadeva la linea e dovevo richiamare e mentre lo facevo capivo che avevo peggiorato la situazione.

La prima volta che l'ho rivista le ho chiesto se faceva già l'amore con lui e se le piaceva di più che con me. Pensavo che avrei potuto anche farlo meglio quando stavamo insieme e che se fosse tornata con me questa volta sarei stato più attento a tante cose.

Succedeva che la incontravo e facevo il duro, l'indifferente, le chiedevo come stava e quando me lo chiedeva lei, le ripetevo: «Sto bene... adesso sto bene».

A volte invece andavo sotto casa sua dicendole che volevo parlarle e mi mettevo a piangere chiedendo, mendicando e supplicando un'altra chance.

Era amore o orgoglio? So solo che ho sofferto come un cane, e lei mi diceva: «Non fare così, ti prego, mi fai stare male, l'ultima cosa che voglio è quella di farti soffrire. Vedrai adesso incontrerai un'altra e tra un mese non ti ricorderai più di me, ti telefonerò e ti dirò ciao sono Alessia e tu mi dirai... Alessia chi?».

Quelle sue parole erano la *pacchetta sulla spalla*, che fa più male di un cazzotto in faccia.

L'altra frase che non sopportavo, era quella che mi dicevano gli amici: «Con tutte quelle che ci sono, morto un papa se ne fa un altro».

È vero, avevano ragione i miei amici, ci sono tante donne in giro, è pieno di donne ovunque, anche più belle, ma io ne volevo solo una: io volevo lei, non chiedevo altro, semplicemente lei.

Il tempo era lento, pesante, materiale. Me lo sentivo nello stomaco, nella testa, nelle gambe.

Non potevo fermarmi, dovevo sempre fare qualcosa, ma non avevo voglia di fare niente.

La domenica era il giorno peggiore, svegliarsi e non aver niente da fare, sapere che lei avrebbe passato tutto il giorno con lui mi logorava. Il mio dolore era legato alle loro carezze, ai loro baci, ai loro sospiri.

Alessia mi ha insegnato un sacco di cose, lei è stata come l'acqua che prima mi ha dissetato e poi mi ha annegato.

Un'altra cosa che non dimenticherò mai è la paura che ho provato quella volta che ha avuto un ritardo di tre settimane. Non ci dormivo la notte, tutto era annebbiato. Ho sempre avuto il terrore di una gravidanza inaspettata, tanto che a volte per paura che il preservativo si fosse rotto andavo in bagno e lo riempivo d'acqua. Tre settimane di ritardo sono ventuno giorni, cinquecentoquattro ore, trentamiladuecentoquaranta minuti. Un solo pensiero: AIUTOOOO.

Era un falso allarme.

Quando tutto si risolse, mi ricordo che per qualche giorno facevo fatica a vederla, avevo pensato addirittura che non volevo più avere niente a che fare con lei.

Sono sempre stato a favore della vita, ma in quei giorni lo ero decisamente meno, e mi giustificavo dicendomi che non sarei stato in grado di crescere un figlio, che io avevo ancora bisogno dei miei genitori. Come avrei potuto? E poi un figlio costa, quindi sarebbe più saggio non metterlo al mondo piuttosto che non potergli garantire una vita dignitosa.

Balle, balle, balle. Forse sarebbe stato più sincero dire: «Ma si può viaggiare e divertirsi con un figlio in mezzo ai piedi alla mia età?».

Ho imparato che la paura è nemica della vita e che si può essere convinti di tante cose, ma è solamente quando ci si trova in mezzo che capiamo se le nostre certezze reggono davvero il confronto.

Comunque con Alessia ho provato i sentimenti più forti, nel bene e nel male. Ma tante altre volte ho sentito qualcosa per una donna. Tranne per le fighe di legno.

Oltre ad Alessia, Lucia e Lauretta, mi ricordo che mi ero preso una cotta per Beatrice. Adoravo il suo strano modo di camminare, con le punte dei piedi un po' in fuori – merito del suo splendido e delicato passato da ballerina. Mi piaceva il timbro rauco della sua voce. Mi eccitavano quei suoi denti un po' storti che la facevano così particolare, e amavo il suo naturale modo di adattarsi alle situazioni e alle mie decisioni, che la facevano così saggia e indistruttibile. E poi chiamava al telefono ogni volta che ne aveva voglia, e mi faceva sentire sempre desiderato.

Poco dopo: non sopportavo il suo ridicolo modo di camminare, con quei piedi da papera a mo di

Chaplin, colpa di quel suo noiosissimo e un po' snob passato da ballerina mancata. Mi irritava la sua voce da trans. Avrei voluto raddrizzare a mani nude quei suoi cavolo di denti parcheggiati in seconda fila, che in alcune situazioni mi facevano anche male. E quanto mi faceva incazzare il fatto che non decidesse e non sapesse mai cosa fare o dove andare. Avrai pure delle preferenze, delle idee dico io, e poi cosa cazzo continui a chiamare, che fai controlli?

No dico: controlla, 'sta troia!!!

Vabbè... detto questo, parliamo d'altro.

Mi ricordo uno dei miei primi appuntamenti, avrò avuto diciott'anni, e dovevo uscire con Giulia. Sai quelle prime volte in cui nel dire: «Esci a cena con me?» ti senti un po' di essere nel mondo dei grandi, in cui la parola cena, quando esce dalla tua bocca, ha un suono diverso. E ti trovi a tavola con il tovagliolo appoggiato sulle gambe, e quello sì che ti fa sentire veramente adulto.

Con il tovagliolo sulle gambe *you are in the adult fucking system*. Se poi alla fine dopo il caffè prendi anche un limoncello o la grappa... be', è un attimo a iniziare le frasi con: «*Quando ero giovane...*».

Avevo incontrato Giulia in centro, per caso, e quando le chiesi se le andava di uscire con me mi disse: «Sto andando in palestra, ti chiamo io quando torno, verso le otto e mezzo».

Be', Nico, alle otto e dieci ero già davanti al telefono a litigare con mia sorella che voleva usarlo.

Alle otto e trentacinque Giulia non aveva ancora chiamato. Ho alzato il ricevitore tenendo i due pulsantini bianchi schiacciati, poi con la cornetta appoggiata all'orecchio li ho lasciati per sentire se era guasto. Funzionava. Alle otto e quaranta, mi sono ripassato la scena di quando l'ho incontrata, magari avevo capito male e dovevo chiamarla io. Mentre ci pensavo, squillò il telefono: non risposi subito, ovviamente. Non contento della tattica dei tre squilli, aggiunsi: «Ah... ciao, sono già le otto e mezzo?».

Patetico, ma allora ero convinto di essere geniale.

C'eravamo dati appuntamento per le dieci, mi ricordo tutto come fosse successo ieri. Andai in camera, accesi lo stereo (già allora non riuscivo a fare la doccia senza musica) e andai a lavarmi.

Lavato, pulito e profumato, arrivò il momento della «scelta abbigliamento». A quei tempi avevo una teoria su cosa indossare al primo appuntamento. Niente colori troppo sgargianti e niente nero che fa intuire che hai pensato a cosa metterti.

La maglia blu era sempre la scelta migliore, ma quella sera non la trovavo.

«Mammaaaa... dov'è la mia maglia blu?»

«L'ho lavata perché aveva una macchiettina sulla manica, mettitene un'altra, c'è quella nera che è pulita.»

Che cosa dovevo fare? Non potevo spiegare a mia madre la mia teoria sul nero: in quel momento il mondo crollò, quell'ometto di diciott'anni che ero aveva perso una colonna portante, la sua magica maglia blu.

Credo che la sensazione che provai fu come quella che provò mio cugino quando Roger Waters se ne andò dai Pink Floyd.

Ma vuoi sapere cosa mi infastidiva di più?

Era l'incapacità di mia madre di capire la gravità di ciò che aveva fatto. Niente, non capiva. Non si buttava a terra disperata, piangendo, chiedendomi perdono, strappandosi i capelli. Anzi, continuava a fare la mamma e come se niente fosse mi diceva le solite tre cose:

1. *A che ora torni?*
2. *Hai preso i fazzoletti?*
3. *Vai piano e stai attento, con tutti quegli scalmanati che ci sono in giro.*

Mi innervosiva, come quando le dicevo di svegliarmi a una certa ora e lei non lo faceva: «Mamma perché non mi hai svegliato?».

E lei, con la sua calma: «Dormivi così bene».

Nico, mi vergogno a scrivertelo ma credo che un po' in quei momenti la odiavo... Il suo non capire la mia catastrofe, la profondità del mio dolore, mi faceva pensare, soprattutto quando ero più piccolo, al suicidio; mi sarei suicidato per farla star male e per farle capire che non era come diceva lei «vabbè, dài, cosa sarà mai...».

Io ci soffrivo veramente.

Una volta l'ho anche fatto, mi sono suicidato ma chissà perché quando lo dico non ci crede mai nessuno.

Comunque, parlando dei primi appuntamenti, devo dire che quelle agitazioni, quelle paure, quelle farfalle nello stomaco non le dimenticherò mai.

Non avevo la macchina, uscivo con quella di mio padre. Mi scocciava fare benzina, speravo sempre che grazie a mio padre fosse piena. In caso di necessità comunque non facevo mai cinquantamila, giusto un deca; poi se serviva mi fermavo e ne facevo un altro. Vedere quei diecimila succhiati così dalla macchinetta mi bloccava, ventimila poi era un soffio al cuore.

La domenica mattina, a pranzo, la domanda di

mio padre era sempre la stessa: «C'è abbastanza benzina per arrivare al distributore?». Credo gli fosse rimasto in mente quando l'ha dovuta spingere.

Quelle sere, quando tornavo a casa da quegli appuntamenti, dopo essere stato ore in macchina con lei, mi sentivo innamorato – giuro – mi sentivo vivo.

Mentre guidavo cercavo il suo sapore in quello spazio che separa le labbra dal naso, mi ripassavo ciò che ci eravamo detti per scoprire qualcosa che magari mi era sfuggito, qualche parola che celasse una diversa chiave di lettura. Ogni battito del cuore era un fotogramma di lei e ogni respiro aveva il sapore dell'attesa, l'attesa del nuovo incontro.

Erano momenti in cui se un amico mi avesse chiesto: «Allora? Te la sei trombata o no? Fa le pompe?» mi avrebbe dato fastidio. Perché con lei era diverso. Almeno per un po'.

Come dimenticare quelle notti passate a chiacchierare, baciarsi o fare l'amore chiusi dentro la macchina? Con l'auto calda, che diventava fredda; allora accendevo il motore e poi di nuovo calda e poi ancora fredda, e la stessa cassetta romantica nell'autoradio che non si fermava mai e quando la toglievi era praticamente piegata dal calore: sembrava un orologio di Salvador Dalì.

E le ragazze scrivevano o facevano disegnetti sul vetro appannato, che poi sparivano e durante il giorno ricomparivano come per magia con tutto il loro ricordo. «*Francy... Checca... Betta... Vale... Bea...*»

Questa cosa del vetro succedeva anche quando facevo tardi sotto casa con i miei amici, ma in questo caso ciò che ricompariva non erano nomi, cuori o fiorellini, ma sempre il solito disegno: un cazzetto con le tre goccioline di sperma.

I ragazzi disegnano sempre la stessa cosa.

Mentre ti scrivo mi rivedo e sorrido. È come se stessi scrivendo di un altro, sinceramente mi faccio un po' tenerezza.

Tornavo a casa e rimanevo in bagno davanti allo specchio cercando di ripetere le facce che avevo fatto nel dirle certe cose, per vedere che immagine di me aveva avuto. Mi addormentavo anestetizzato dal suo profumo e dal ricordo della sua voce, mi addormentavo felice.

Forse è questo che non mi succede da un po': addormentarmi felice. Voglio un brivido, Nico, un brivido nel leggere un libro, un brivido nel parlare o nel conoscere qualcuno.

In questo periodo è difficile alzarsi al mattino, vorrei dormire per giorni interi, non ho entusiasmo nel fare nulla, mi sembra che non ne valga mai la pena. Non so con chi parlarne e mi rinchiudo nel mio mondo fatto su misura che diventa ogni giorno più grande e concreto. Il mio mondo ha già due fusi orari.

Scriverti mi fa stare meglio, lo sento. Forse ti sto solo usando, come tu userai me quando leggerai questa lettera, ma del resto sei un mio amico, anzi sei IL MIO AMICO. Quello che in fondo mi capisce meglio, almeno credo, visto che sono passati cinque anni e magari chissà adesso come sei, a cosa pensi, quali sono i tuoi sogni – se ne hai ancora.

# Dimensione strazio-tempo

Ieri pomeriggio sono andato in farmacia per comprare una scatola di biscotti Plasmon e una di preservativi. (Quella dei Plasmon l'ho quasi finita, l'altra non l'ho ancora aperta.) Mentre uscivo ho incontrato Federico. Era tanto che non lo vedevo, e ho scoperto che anche lui ha messo su famiglia, o meglio come dicono molti: si è sistemato. È sposato da un anno con una ragazza di Parma che ha conosciuto alla facoltà di Giurisprudenza, e da lei aspetta un bambino.

La scena: lui vestito in giacca e cravatta che mi parlava della moglie, del bambino in arrivo, della casa ecc.

Io (che mi ero appena fatto una canna), quando l'ho visto ho abbassato le cuffie del walkman intorno al collo, con Manu Chao che cantava *Welcome to Tijuana tequila sesso e marijuana...*

Insomma Nico, sto diventando grande, ci sono miei coetanei che hanno già una buona carriera (quanto odio questa parola), una famiglia, qualche soldo in banca. Non voglio fare quello che si descrive ribelle, che quando incontra uno si sente più figo perché non è in giacca e cravatta. Ma sono tornato a casa e mentre salivo le scale ho immaginato di avere una donna incinta che mi aspettava. Sono entrato e quando ho visto il lavandino pieno di bicchieri e piatti sporchi ho tirato un sospiro di sollievo.

Insomma, io sono ancora uno che si mette le dita nel naso. Magari adesso lo faccio di nascosto, ma lo faccio. E faccio degli errori anche in questo: non ho ancora imparato bene. Ci sono volte che sento quella crosticina secca e cerco di togliermela con le dita, ma capita che quella crosticina sia solo la punta di un iceberg e, togliendola, scopro che ha una coda viscida e mucosa di mezzo metro – e mi trovo in difficoltà non sapendo come sbarazzarmene. Errori da dilettante.

Immaturo, immaturo, immaturo.

Questa mia condizione adolescenziale mi fa chiedere:

*Cosa fa di un uomo un uomo?*

*Cosa ha un uomo per essere un uomo?*

Una ideologia politica, un credo religioso, una moglie e dei figli, un'erezione, la carriera, i soldi, che cosa?

Io un'ideologia politica non ce l'ho, sono già quattro volte che non voto. Questo è anche motivo di discussione tra me e mio padre, anche se credo abbia ragione lui. (Mio padre: «Se non vai a votare, vincono i comunisti. Quelli vanno sempre anche se casca il mondo».)

Io non so nemmeno se sono di destra o di sinistra.

Mi piacerebbe che qualcuno che se ne intende mi dicesse, *se credi che sia giusto questo e quest'altro sei di sinistra, se credi che sia giusto quello o quell'altro sei di destra.* Ma quando ho parlato di politica con qualcuno sembrava sempre che tutte le idee appartenessero soltanto al suo schieramento.

Il primo anno che potevo votare ho seguito un po' in televisione le tribune politiche: ogni volta avrei votato per quello che parlava. Avevo e ho difficoltà a fare una scelta.

Immaturo, immaturo, immaturo.

Il lavoro sarà sempre una parte importante della mia vita, ma non sarà mai *la* mia vita. Per molti la carriera è come essere agli arresti domiciliari, il fatto che abbiano dipinto le sbarre d'oro non cambia molto. Forse sono più furbi quelli che le hanno dipinte di azzurro come il cielo, così non le vedono, anche se ci sono.

Io non me la sento di sposare il mio lavoro, anche se non credo che chi lo faccia sbagli.

Ma al di là dei contratti, al di là delle opportunità, io sono confuso sulla mia vita in generale. E non dire che te l'ho già scritto un sacco di volte, perché adesso lo scrivo per me, per ricordarmelo bene. Ho paura di infognarmi nella routine. Ok?

Credo che ognuno di noi abbia delle esigenze e delle soddisfazioni diverse; io non mi sentirei appagato da qualche soldo, qualche casa o macchina, o qualche traguardo professionale. Io vorrei puntare sui rapporti umani, non vorrei ritrovarmi ad avere un'estranea in casa, dei figli pieni di giocattoli (uno per ogni mia mancanza) e soprattutto non vorrei arrivare a una certa età ed essere ancora sconosciuto a me stesso.

Non sto assolutamente dicendo che chi si dedica al lavoro trascura i rapporti umani, ma so che, a causa della mia pigrizia, io sicuramente sarei costretto a farlo.

Insomma, Nico, mi sai dire cosa fa di un uomo un uomo?

A me mi sembra tutto un gran casino o sbaglio?

*A me mi* si può dire adesso, non è più errore, tutto si evolve, anche la lingua...

La velocità nelle cose, nel farle, ma soprattutto nell'ottenerle ha scombussolato i valori.

Mio padre mi dice: «Voi giovani volete tutto e subito».

Tenendo presente l'età, il rincoglionimento e il fatto che ognuno cerca di mitizzare la propria generazione, credo non abbia tutti i torti.

Tutti hanno fretta, tutti corrono, tutti suonano il clacson.

Ieri al supermercato ho visto un pacchetto di pasta già condita che cuoce in soli cinque minuti, il riso è già al nero di seppia nella scatola, nello shampoo c'è già il balsamo, nel bagnoschiuma c'è lo shampoo con il balsamo antiforfora rinforzante alla provitamina C, con scopa e paletta per chi perde i capelli.

Non si aspetta più, e credo che per tante cose sia meglio, ma qui non c'è più nessuno che aspetta un bambino senza sapere se è maschio o femmina, pare sia perché bisogna comprare delle cose, o rosa o azzurre.

Addirittura adesso un ginecologo di Amburgo ha inventato una macchina a ultrasuoni che riesce a fotografare un feto e ne coglie non solo il sesso come faceva l'ecografia, ma anche i lineamenti.

Per i brutti, sarà sempre più difficile questo mondo, ormai li cuccano già dietro (anzi, dentro) le quinte.

In America esiste una società finanziaria che si

chiama Capital One, la quale riceve ogni settimana più di un milione di telefonate: sono persone che vogliono vedere il proprio saldo Master Card, o verificare se è cambiato il tasso di interesse ecc. ecc.

Cerco di fartela breve. Quando il cliente compone l'ultima cifra del numero di Capital One, il computer capisce chi è il cliente, ne analizza i dati e riesce a prevedere il motivo della telefonata, (ri-e-sce-a-pre-ve-de-re-il-mo-ti-vo-del-la-te-le-fo-na-ta), indirizzandola in modo specifico a uno dei tremila operatori che sul computer vede tutti i dati.

Questo sistema avviene in cento millisecondi e riesce con una media del 70 per cento.

Si va talmente veloci che si può anticipare il tempo. Io, per esempio, non ho il computer di Capital One, però quando mi squilla il telefono e compare il numero del commercialista so che dovrò pagare qualcosa.

C'è un tempo giusto per ogni cosa: a volte è meglio agire subito, a volte è meglio aspettare.

Quando stavo in America, la mattina vedevo la gente fare colazione in metropolitana: caffè, muffin, mele lucide come palle da biliardo, tutto *To go*, senza mai fermarsi.

A Milano camminano più veloci che a Roma, ma non è ancora niente in confronto a Londra o New York. Diventeremo come loro?

Certo che in Italia tutto ciò che viene dall'America è oro, anche a me molte cose americane piacciono, ma l'altro giorno ho letto che negli Stati Uniti il budget per la difesa nazionale è pari alla cifra spesa in bevande alcoliche, e ogni anno gli statunitensi spendono 500 milioni di dollari in antidepressivi.

Sempre negli Stati Uniti, in cui vive meno del 5

per cento della popolazione mondiale, viene consumata più del 50 per cento della cocaina di tutto il mondo.

In America puoi comprare una pistola, ma non puoi bere alcolici per strada, per questo nei film si vedono sempre i barboni con la bottiglia nel sacchetto.

Non lo so, ma mi sa che questo mondo non ci appartiene del tutto: ormai è diventato un'enorme padella antiaderente da cui si scivola via come uova fritte.

Bisognerebbe scendere in piazza, radunare della gente e dire: «STOOOPPP!!! Fermi tutti abbiamo sbagliato, c'è sfuggita la situazione di mano. Non è grave: nessuno ci ha insegnato niente, abbiamo dovuto imparare tutto da soli, e non è facile per nessuno, ripeto per nessuno. Comunque, tranqui, adesso ce ne siamo accorti e dobbiamo solo organizzarci. Ok, basta rifare tutto da capo».

Per esempio, una cosa stupida che ho imparato è che nel dare la mano, quando conosco qualcuno, mi dimentico sempre di schiacciare il pulsante REC della registrazione e poi non mi ricordo come si chiama. La stretta di mano diventa una gomma che cancella il nome.

Ecco, la cosa che ho imparato è di non aspettare a richiedere subito «Come hai detto che ti chiami?», altrimenti inizio a parlare e poi più passa il tempo più diventa imbarazzante richiederlo. Non è bello dopo qualche ora dire: «Scusa, non mi ricordo come ti chiami».

Quello che ti ho appena scritto non è un grande esempio, capisco, ma è il primo che mi è venuto in mente.

Comunque, oltre al tempo cambia anche lo spazio: se tutto è più veloce, tutto dev'essere anche piccolo. Quando eravamo bambini facevamo a gara a chi ce l'aveva più grosso. Da quando ci sono i cellulari si fa a gara a chi ce l'ha più piccolo. Ci sono ragazze che quando gli suona il telefonino prendono le ferie per cercarlo nella borsa.

Non sono contrario alla tecnologia, soprattutto quando è comunicazione; non sono un luddista, ma avverto comunque una sensazione di disequilibrio. L'altra notte ho acceso la tv e c'erano i numeri erotici con donne che si leccavano e una scritta lampeggiante che diceva CHIAMA – GODI IN 30 SECONDI.

Godere in 30 secondi?

L'incubo della mia adolescenza che ritorna: l'eiaculazione precoce.

# Il sesso

Nico, ti ricordi i primi approcci con il sesso?

Quello solitario intendo, i primi *veri* rapporti sessuali.

Erano anni ormai che la mattina non ero più il primo ad alzarsi. *Lui*, quando aprivo gli occhi, era già lì che mi aspettava. Mi alzavo dal letto e siccome ai boxer era cresciuto il naso di Pinocchio, prendevo il mio *fratellino* e lo strozzavo nell'elastico. Da sopra i boxer usciva la sua testina coperta dalla maglietta e poi col tempo piano piano si ritirava. Andavo in bagno e non riuscivo a fare la pipì, dovevo aspettare, o tirarlo giù con la mano come fosse una catapulta. La mia catapulta personale, finalmente.

Provavo da seduto e succedeva che dopo un po' si afflosciava, ma non del tutto, e la pipì usciva tutta da quello spazietto che resta tra la ciambella e il water. Tutta sulle mutande e per terra. Mi toccava fare la scarpetta con la carta igienica sul pavimento.

La domenica, che invece di vestirmi per andare a scuola andavo a far colazione in mutande, succedeva che dopo mangiato mi tornava duro e dovevo aspettare che mi passasse l'erezione prima di alzarmi.

Poi è arrivata l'età dove ho imparato a ucciderlo...

di seghe. Non dimenticherò mai la prima volta che facendomi una pippa ho raggiunto il risultato finale; la magia di vedere uscire quel liquido denso, toccarlo, annusarlo. Quel liquido che sembrava bianco come la neve, finché non sono venuto nel lavandino, che essendo veramente bianco mi ha fatto capire che lo sperma è piuttosto giallino. Dipende da dove vanno a finire gli schizzi: sulle tende gialle, per esempio, sembrano nuovamente bianchi.

Allora non sapevo che, da quel giorno, avevo aperto un'attività che (indipendentemente dal fatturato) non avrei mai chiuso. Insomma, quella fu la scoperta del secolo e allora giù a manetta: dopo una, avanti un'altra, e poi un'altra fino all'ultima che venivo praticamente a vapore. *Ziiifff... Zzziiifff... ffff.* In quel periodo avevo l'orologio automatico che si caricava con il movimento del polso. Un giorno è esploso.

Andavo in bagno, chiudevo gli occhi, e la mia mano si trasformava nella mia professoressa di inglese che mi diceva: «Sei il mio alunno preferito, chi se ne frega se non hai fatto i compiti, non ci pensare e scopami ti prego».

Il giorno dopo la stessa mano si trasformava nelle amiche di mia sorella, o nella figlia del salumiere, oppure in una qualsiasi ragazza che avevo incontrato per strada.

Vedevo una che mi arrapava e appena entravo in casa andavo subito in bagno a scoparmela.

Avrei anche potuto non farlo ma erano sempre loro a chiedermelo: «Ti prego, ti supplico, ti scongiuro. Scopami, fottimi, sbattimi, fammi godere».

Nella mia immaginazione la *location* non era una cosa casuale, mi piaceva avere una giusta scenografia. Per esempio, chiudevo gli occhi, e la prof. di inglese me la facevo sulla scrivania o nella palestra della scuola sopra i materassini; l'amica di mia sorella me la immaginavo in bagno, io la vedevo, entravo, e lei mi diceva: «Finalmente sei arrivato. Non ce la facevo più... ti prego, ti supplico mettimelo dentro... tutto!».

Una volta l'ho trovata in cantina tutta nuda sdraiata su una coperta. Mi ha detto: «Perché quando ti vedo mi viene voglia di farlo? Sdraiati su di me e infilamelo dentro. Voglio sentirlo. Dài vieni qui sto impazzendo. Avanti, prima che arrivi qualcuno. Scopami, fammi tutto quello che vuoi, a te non so mai dire di no».

Ho passato interi pomeriggi a soddisfare queste povere donne che mi desideravano, cosa potevo farci? Mi supplicavano, adoravano il mio prezioso Ginetto... Dicevano che era il più bello e il più duro di tutto il quartiere.

Non mi facevo solo persone che incontravo per caso o che conoscevo, anzi. Spesso venivano da ogni parte del mondo. Cantanti, attrici famose, presentatrici tv, ballerine.

Heather Parisi, ogni volta che alzava la gamba a mo di saluto fascista, mi chiedeva di metterglielo dentro.

Ogni volta che vedevo un video di Madonna in tv, alla fine lei veniva in bagno da me e mi costringeva a trombarla. Madonna mi diceva: «*Shake me an' fuck me. Please!*». E sottolineo *please*. Per convincermi mi diceva che avrebbe lasciato tutto per me, per il mio carismatico pisello. L'ho convinta ad andare avanti con la sua carriera promettendole che ogni tanto le avrei dato un colpetto. Aveva del talento, e non me la sono sentita di accettare la sua proposta.

A quell'età era una responsabilità troppo grande, capivo che come artista c'era. La storia mi ha dato ragione. A quei tempi ero un ragazzo di cuore e cercavo di aiutare sempre il prossimo, e la prossima.

Ma al di là delle P.R., al di là degli incontri del mio pisello, a livello pratico le seghe andavano evolvendosi. Più passava il tempo, più prendevo confidenza con l'attrezzo e mi potevo buttare sulle sperimentazioni.

Prima con la mano destra, poi con la sinistra, poi con la crema sulla mano, fino ad arrivare alla bistecca nel termosifone (questo l'ho sentito, ma giuro non l'ho mai fatto, credimi).

Le seghe con il preservativo, per imparare a metterlo e per vedere come andava a finire, e com'era quando era pieno.

Le seghe sott'acqua nella vasca. Che quando uscivi ti trovavi tracce di sperma anche dietro le orecchie. Lo si capiva da dove si appiccicavano i peli, dove andava a finire.

C'erano poi le leggende: per esempio mettere il cartone vuoto del calippo tra i cuscini del divano, o immergersi nella vasca da bagno, tirar fuori dall'acqua la punta del cazzetto, prendere una mosca, staccarle le ali e appoggiarcela sopra: la mosca per non entrare in acqua cammina freneticamente fino a farti venire. (Anche questo, giuro, non l'ho mai fatto.) Oppure sedersi su una mano fino a farsi venire il formicolio e perdere la sensibilità, così che sembrava fosse un'altra persona a fartela. I veri professionisti si mettevano anche lo smalto sulle unghie.

Ricordo che addirittura si narrava la storia di un ragazzo morto perché si era attaccato alla mungitrice per mucche e questa lo aveva dissanguato.

Insomma, dietro alla masturbazione si nasconde un mondo di confidenze solitarie, di esperimenti e soprattutto di motivazioni e stimoli. A volte ci si masturba ripensando alle ragazze con cui si è trombato, altre pensando a quelle con cui non si è trombato e non si tromberà mai. Ma non ci si masturba solo perché si è eccitati, succede anche che lo si fa così, perché non si sa cosa fare: si comincia a grattarselo, si danno due colpetti, poi si smette, poi si ricomincia e così fino alla fine; a volte invece semplicemente perché non si riesce a prendere sonno.

Essere a letto e non riuscire ad addormentarsi è una delle cose più odiose, mi è capitato un sacco di volte, e più passa il tempo più ti innervosisci, più ti innervosisci più ti svegli, e cominci a muovere un piede e poi guardi la sveglia e cominci a contare le ore che ti mancano prima che suoni, e senti già che l'indomani sarai stanco tutto il giorno, e alla fine – indeciso se accendere la luce e darti per sconfitto o rimanere a occhi chiusi aspettando – decidi di provare la carta *seghino*.

Quando mi capita non sempre ho la voglia di uscire dal letto per andare in bagno a pulirmi, anche perché rischierei di svegliarmi del tutto e quindi mi pulisco con quello che trovo, con le calze per esempio, passatina sulla pancia e via; poi il mattino vado in bagno e ho i peli cartonati, tutti dritti che sembrano la testa di Big Jim.

C'è anche chi il seghino se lo fa direttamente nella calza, ma io no, a me piace vedere lo schizzetto. Mi piace sentire il caldo sulla pancia, rimanere lì fermo, fino a quando il liquido comincia a cadere sui fianchi a rigolini, e con il dito fai la scarpetta cercando di riportare tutto dov'era prima. Per salvare il lenzuolo.

L'altra sera non riuscivo a dormire, non avevo sonno e continuavo a passeggiare di stanza in stanza. Sigaretta su sigaretta, camminare avanti e indietro, poi fermo a fissare la libreria, sfogliare qualche pagina di un libro, cambiare la disposizione sulla mensola, poi nuovamente camminare. Alla fine sono uscito a fare una passeggiata. Vicino a casa da qualche mese ci sono delle puttane dell'Est. Fighissime. A puttane non sono mai andato, a parte i vari puttan-tour con i miei amici in macchina a chiedere se ci facevano vedere almeno una tetta. Spesso però mi fermo a chiacchierare con loro. Quelle vicino a casa mia non le conosco ancora. Ho pensato che potesse essere il momento giusto per dare il benvenuto alle nuove vicine di casa.

Devo sempre stare molto attento quando mi fermo a parlare con le puttane, perché se ne trovo una gentile mi innamoro subito. Sono un soggetto a rischio con le zoccole, non so perché, ma più che farmi un viaggio erotico, quando le vedo o ci parlo, mi viene sempre da immaginare che le porto via, che mi ci fidanzo e che ci ameremo per sempre. Hanno la capacità di tirare fuori la parte più romantica che c'è in me. L'altra sera vedo una ragazza stupenda, alta, con due tette che sembravano tre, bionda e con un viso angelico. Ero già emozionato. Mentre mi avvicino penso a come approcciare, ma quando mi trovo a circa dieci metri, una Fiat bianca guidata da un uomo sulla quarantina si ferma accanto a lei.

Ho fatto finta di niente, ma c'ero rimasto male, ne ero quasi geloso. Una puttana sconosciuta della quale non conosco nemmeno il nome, mi fa scaturire una sensazione di gelosia. Guarirò mai?

Immaturo, immaturo, immaturo.

Mi ero già fatto tutto un viaggio in testa. Come al solito.

Senza cambiare il ritmo e la velocità della camminata continuo per la mia strada. Le passo vicino, quasi la sfioro, sento il suo profumo e la sua voce. Ho pensato: «Adesso vado lì, lo tiro fuori dalla macchina e lo pesto come una cotoletta». Non l'ho fatto.

Mentre decido di non gonfiarlo come un canotto, mi scappa l'occhio sulla Fiat bianca e vedo sul sedile dietro un seggiolino per bambini giallo e blu. Mi ha fatto un po' tristezza. Sarà sicuramente una cosa soggettiva, un gusto personale, ma il giallo e il blu insieme non mi sono mai piaciuti.

Sono tornato a casa e mi sono ascoltato l'album *Grace* di Jeff Buckley. Piano piano, con il pensiero che tornava alla mia principessa dell'Est mi sono addormentato.

Tornando alle pippe, c'è da aggiungere che a volte ci si masturba prima di dormire, ma a volte lo si fa la mattina appena svegli, prima ancora di alzarsi. Spesso fiacca la gamba per tutto il giorno, ma la pippa del mattino dà una grande sensazione di vacanza.

Quando lo fai così, senza motivo, quasi per riempire con un brivido un momento di noia, spesso subito dopo l'orgasmo pensi: «Perché l'ho fatto, potevo anche fare senza» e ti senti un po' più vuoto.

Questa è la differenza tra il sesso e l'amore: il sesso svuota, l'amore riempie. Che è pressappoco come quella frase famosa che dice: *L'amore va nel profondo, il sesso solo qualche centimetro.*

Passano gli anni e capisci che alle pippe ci si affeziona. Non è come quando avevamo sedici/diciassette anni, quando pensavamo che iniziata la vita sessuale a due, entrati nel mondo dei grandi, non ci saremmo più masturbati.

Ti ricordi quando per sfotterci ci si diceva: «Stai zitto che ti fai ancora le seghe!». Perché eravamo convinti che le pippe se le facevano solo quelli che non trombavano mai. Poi invece scopri che a volte torni a casa dopo averlo fatto e sei ancora eccitato, tanto che se vuoi dormire devi strozzare il nano.

Il problema è che a volte mi veniva voglia di farlo durante il giorno, quando ero a casa, e non avendo giornaletti porno, né videocassette a portata di mano, o guardavo il cielo nella speranza di vedere qualche nuvola a forma di culo o accendevo la televisione alla ricerca di un input – bastava anche la scollatura della giornalista che leggeva il telegiornale delle cinque o, se ero fortunato, potevo trovare nelle televisioni locali televendite di attrezzature ginniche, o vasche idromassaggio. Cosce tette e culi che uscivano dall'acqua piena di bolle. Quell'acqua sembrava rappresentare ciò che sentivo dentro le vene: bolliva tutto.

In casi estremi usavo «Vestro» o «Postalmarket». Circa a metà c'era il reparto «mutande e reggiseni», non si vedeva niente, ma per me quel niente era tutto. Una macchietta nera dietro una mutanda bianca era più che tutto. Era un pomeriggio.

Il massimo era il reggiseno per allattare, tutto aperto – insomma una tetta in primo piano... *wow*!

Quando tutto questo non mi bastava, andavo verso la fine, nel reparto «bagno», dove una gamba di donna usciva da una doccia o dove si poteva ammirare uno strano marchingegno da applicare al rubinetto per rassodare il seno. Io tenevo il segno delle due pagine con la mano sinistra (la destra era impegnata) e quando avevo bisogno di nuovi input, oplà: da reggiseno e mutanda passavo a tetta e gamba. Ragazzi, quelli sì che erano tempi.

Ho parlato di masturbazione scrivendo al passato, ma non è cambiato molto da allora, forse solo la storia di «Vestro» e «Postalmarket».

Comunque, mentre da solo avevo i miei *begli orgasmi*, per quanto riguardava il rapporto a due ero ancora molto indietro.

Ti ricordi la mia prima fidanzata? Si chiamava Samantha, avevo mandato Marco a chiederle se si voleva mettere «assieme a me». Lei aveva detto di sì, ma pur essendo diventata la mia ragazza non stavamo mai da soli. Ci si incontrava nei corridoi della scuola, ci si guardava, si abbassava lo sguardo e poi dall'imbarazzo si andava via. Siamo rimasti fidanzati fino a quando la sua amica mi ha detto: «Ti vuole lasciare, ha detto che le dispiace, scusa ciao».

Poco dopo con Rossana si arrivò al mio primo bacio con la lingua. L'argomento ragazze cominciava a farsi caldo. Rossana all'inizio non voleva baciarmi perché aveva paura di prendere la carie ai denti.

Ma tutti questi dubbi e tutte queste paure non bastavano a frenare l'istinto animale che aveva già inserito la ridotta 4x4. Avevo gli ormoni col bandana. Avevo un candelotto di dinamite nelle mutande.

Avevo già iniziato la scalata verso il successo (se così si può chiamare quella roba lì). Ma di trombare nemmeno l'ombra.

L'escalation del bacio era:

Bacio sulla bocca.

Bacio sulla bocca con lingua.

Bacio sulla bocca con lingua e mano sulle tette (sopra il maglione, naturalmente).

Bacio sulla bocca con la lingua, mano sulle tette e passaggio del chewing-gum.

Dopo ogni bacio c'erano gli incontri tra amici, e ci si chiedeva: «Cosa ti ha detto? Com'è andata? Com'è?».

La risposta che usavamo di più era: «Bacia bene ma è piatta». Anche se di Rossana non si poteva dire, visto che era l'unica con le tette tette.

Poi c'era un'altra escalation. Il passaggio da sopra i vestiti a sotto:

Mano sulle tette sotto il maglione (ma sopra la maglietta).

Mano sulle tette sotto la maglietta (ma sopra il reggiseno).

Mano sulle tette sotto il reggiseno. Ho un solo ricordo: erano dure, dure, dure.

Poi, dopo averle palpate e dopo aver esaminato tutti e due i capezzoli induriti, si scendeva sulla pancia fino ad arrivare alla cintura, linea di confine per il paradiso. E dopo che lei ti aveva tolto la mano due o tre volte finalmente ti lasciava passare. Lì succedeva una delle cose più belle che un ragazzo possa mai provare: infatti, anche se nella mano schiacciata dalla cintura non circolava più il sangue, non c'era gioia maggiore al mondo di quella che si provava nel sentire con la punta delle dita i primi peli.

La gioia maggiore era quando lei, senza dire niente, tirava dentro la pancia per facilitarti il passaggio. *Wow!* Che collaborazione, che complicità.

Quando mi succede adesso è ancora bello, ma le prime volte, ragazzi che sballo.

Le prime volte che tornavi a casa con l'odore sulle dita. E le annusavi e ci ripensavi e...

Poco dopo cominciava a entrare in scena anche lui: *Piso Pisello.*

Erano le sue prime apparizioni in pubblico fuori dalle mutande. Le sue prime boccate d'aria fresca.

Che bello quando la mano che lo strizza non è la tua ma quella di lei. Che bella sensazione calda. Che goduria. Anche senza movimento. Bastava sentire il caldo che lo avvolgeva. Vederlo sparire tra le sue dita.

Certo che quelle che ti fai tu...

Perché erano comunque ragazze inesperte: loro ovviamente non avevano passato gli ultimi tre anni a menarlo tutti i giorni. C'erano quelle che pensavano che più lo stringevano più dava piacere. Strizzavano talmente forte che avevo la punta che esplodeva, stringevano con tanta decisione che sulla cappella rosso fuoco sembravano crescere dei foruncoletti.

Quando smettevano rimanevano le impronte delle dita e il pisello sembrava una manopola della bici, o il vecchio joystick del Commodore 64.

Oppure c'erano quelle che davano degli strattoni come se stessero pugnalando qualcuno. Strattoni talmente forti che se non le fermavi, alla fine, la pelle del cazzo ti cadeva come un calzino senza elastico. Queste ragazze noi le chiamavamo le *spaccafiletto*. Godevi a denti stretti per il dolore. Un dolore simile a quando si impigliano i peli del pisello tra pelle e capocchia. Quando succede mi infilo la mano nelle mutande da sopra e cerco di liberare la bestia, o se c'è qualcuno, per non farmi vedere vado verso il bagno camminando come un gobbo. Un gobbo zoppo. Un goppo.

Dopo che ti eri appartato con le ragazze, gli amici ti chiedevano com'era andata. La cosa che interessava di più era sapere se l'avevi tirato fuori tu o se invece te lo aveva tirato fuori lei. Ai tempi faceva una grande differenza.

Io ero impaziente e quasi sempre me lo tiravo fuori da me. Più che altro non lasciavo molto tempo per agire. Appartati – lingua in bocca – pisello fuori. Subito.

Ti ricordi le domeniche pomeriggio in discoteca, quando si riusciva ad andare con una ragazza sui divanetti? Ore e ore di pomiciate e soprattutto di strusciamenti – si rischiava di andare a casa con le mutande cartonate. Rischiava è una parola falsa, perché più di una volta sono venuto nelle mutande. Un secondo prima, mani ovunque, lingua a mille, passione travolgente, impeto e furia incontrollata, strusciamenti avanti e indietro; poi ti venivi addosso, facendo finta di niente anche se nei pantaloni il fratellino pulsava come un pollice dopo una martellata nei cartoni animati tipo *Tom e Jerry*.

Improvvisamente finiva tutto, nel tuo corpo c'era solo pace e serenità e quindi continuavi solo dando dei piccoli e teneri bacetti. Chissà se si chiedevano il perché di un cambiamento così radicale.

Una volta sono venuto nei jeans neri e la volta dopo in pista hanno acceso una luce blu che mette in risalto i denti, la forfora, il bianco degli occhi e la mia spermata nei pantaloni (anche se li avevo lavati).

Ma di trombare, in quel periodo, nemmeno l'ombra. E a volte non si trovava nemmeno il posto per un seghino o un pompino. Si tornava a casa col mal di pancia e di palle e quando poi ti arrangiavi da solo, lo sperma che usciva era denso denso. Nel lavandino del bagno faceva il rumore di quando cade il pane bagnato. Quando ci finiva, nel lavandino, perché spesso ero così eccitato che schizzavo a distanza di metri. Una volta ho fatto centro sullo specchio e sul rubinetto dell'acqua fredda.

Era appena passato il periodo delle prime feste, dove si metteva la carta rossa delle caramelle Rossana per fare ambiente e si mangiavano pop-corn, Cipster, e quelle patatine Dixie al formaggio che rimanevano appiccicate ai denti (per togliertele provavi prima con la lingua, facendo delle smorfie che sembravi un deficiente, e poi non riuscendoci te le toglievi con l'unghia del dito che schifosamente ripulivi succhiando).

Feste in cui l'unica cosa sicura era che a un certo punto sarebbe finita la Coca e sarebbe avanzata la Fanta. Feste in cui si aveva il rientro a una certa ora. C'era chi per non fare quello che doveva rientrare, a mezz'ora dal coprifuoco iniziava a dire: «Ma tu ti diverti? Io no! Resto ancora dieci minuti e poi me ne vado».

La storia delle patatine al formaggio fa un po' schifo lo so, soprattutto se pensi all'odore che rimaneva sulle dita, un odore di piedi, ma sai una delle cose più schifose che ricordo di quel periodo qual è? Ti ricordi l'ora di musica a scuola, quando si suonava il flauto? Ecco, una delle cose più schifose era quando, dopo un po' che si suonava, si scuoteva il flauto buttando frustate di saliva addosso ai compagni – ovviamente tutti in guerra.

Ma torniamo a parlare di donne, per modo di dire.

Samantha, Cristina, Rossana, Ombretta e altre due facevano parte della nostra compagnia, loro erano ufficialmente: *le ragazze della nostra compagnia*. Te le ricordi un giorno fidanzate con me, un giorno con Dario, uno con Ale e uno con Marco. Cristina era quella con il viso più carino: bionda, occhi azzurri, lineamenti fini e femminili, ma era anche quella senza tette.

Erano comunque mediamente tutte carine, anche se a volte succedevano cose strane: cioè, erano tanti i motivi per cui una ragazza era richiesta; non era solo legato alla bellezza, dipendeva molto anche dai racconti di chi ci era già uscito prima. O, per un misterioso motivo, c'era quella che andava di moda. Accadeva soprattutto se piaceva al «fico» della compagnia, allora per qualche settimana tutti volevano uscire con lei, andava via come il Camogli all'Autogrill, come il gerundio in Sardegna.

Era più importante il consenso e il giudizio degli altri che il tuo. Non era importante quanto piacesse a te, ma che piacesse a loro.

Era il periodo del grande richiamo della natura, ma lo si poteva capire da un sacco di cose, dai mille doppi sensi che si trovavano in tutte le frasi, che prima nessuno vedeva.

Nico, arrivò *la malizia*.

«Mi piace il Calippo» detto a sei anni era normale. Detto a quindici faceva ridere tutti.

Ti ricordi quando alla televisione avevano trasmesso il film *Il tempo delle mele*? Su due ore di film, tutti raccontavano l'aneddoto del cinema e delle patatine, quando un ragazzo aveva fatto un buco sotto il sacchetto, ci aveva infilato il suo *cazzettino* e una ragazza nel prendere le patatine aveva preso *lui*.

Gli anni passavano e qualcuno cominciava ad avere i primi rapporti sessuali; di baci con la lingua erano pieni i pomeriggi sul motorino, lunghe pomiciate con nasi rossi dal freddo; i sabati sera alle feste, lunghi baci dati su letti di case appartenenti a persone che neanche si conoscevano, quasi sempre case di ricchi, dove Michele si divertiva a fare danni.

Il sesso, quello vero, era pieno di paure. Per noi

maschi il nemico numero uno, il più temuto, il più pericoloso era *l'eiaculazione precoce*. TERRORE!!!

Ci si rivolgeva ai veterani del sesso, quelli di diciott'anni: Stefano il tabaccaio, o Luigi il gommista, che raccontavano storie di vacanze al mare, di case libere il pomeriggio perché i genitori lavoravano, ecc. Loro ci davano i giusti consigli.

Stefano è stato anche quello che mi ha fatto vedere il primo giornaletto porno. Ero piccolo e non capivo cosa fosse quella cosa bianca che cadeva sulle tette o nelle bocche di quelle donne nude. La prima cosa che mi son chiesto vedendo un giornaletto porno è stata se anche i miei genitori facevano quelle cose lì.

Torniamo al problema. Tattiche maggiormente riconosciute per risolvere il problema della *eiaculazione precoce*:

**1.** Uscire di casa prima di un appuntamento, prevenuto. (Cioè già venuto una volta, pippetta a casa e così, alé alé, si parte dalla seconda.)

**2.** Pensare e ripassarsi la formazione di una squadra di calcio, meglio se non la tua preferita. (Zoff – Gentile – Cabrini – Furino – Brio – Scirea...)

**3.** Pensare a una tragedia, a qualcosa di triste e spiacevole. (La nonna che cade e si rompe un femore, una estemporanea di storia, una nota sul registro o, per esempio, anche pensare di sbagliare un rigore decisivo alla finale di calcetto.)

Con queste tre alternative si andava sul sicuro. Ancora adesso mi capita di utilizzarle.

Ci sono volte che come lo metto dentro e sento il caldo morbido e umido capisco che durerò poco. Parlo di quelle maledette volte che devo continuare a fermarmi altrimenti vengo, quelle maledettissime volte che magari mi sbaglio e do quel colpetto di troppo prima di fermarmi, e capisco che ho sbagliato, capisco che sono arrivato al *point of no return*. Oppure quelle volte dove tutto è perfetto, nessun colpetto di troppo, tutto sotto controllo, ma lei è una che sa muovere i muscoli della patata, e ti dà quei due o tre morsettini e ti spiazza, o magari con la mano ti tocca il sedere e le palle e anche lì capisci che sei spacciato, fratello, e tutto parte. Tu cerchi di trattenerlo, cerchi di invertirgli la rotta, di ostacolarlo in qualche modo, ma è troppo tardi, e dalle punte dei piedi senti che sale, sale, sale finché decidi di arrenderti e ti fai travolgere da quella valanga che, anche se anticipata, è sempre un bel venire; e quando poi ti riprendi cerchi di spacciare la tua figura di merda come un complimento: «Sai... è che tu mi piaci un sacco, sei così sexy».

Ci sono state delle volte che mentre facevo l'amore capivo che sarei durato poco, allora pensavo: «Ok durerò poco, ma dopo con la seconda ti spacco», e nel pensare «ti spacco» mi eccitavo e venivo subito. *La seconda*, una delle cose che succede sempre più raramente.

A volte invece succede che una donna mi dice che sta venendo, allora mi lascio andare e vengo prima di lei, la sorpasso, la anticipo di qualche secondo. Poi mi fermo, ma siccome lei non è ancora venuta si dimena sotto di me e con il bacino mi dà dei colpi e salta come una trota fuor d'acqua, e io mi sento un ragazzino sul *tagadà*.

Si parla sempre delle donne che fingono l'orgasmo. Anch'io a volte lo faccio. Io sono un uomo che finge l'orgasmo: cioè non è che fingo di venire, fingo il contrario. Vengo, ma faccio finta di niente e continuo, sfruttando quel minuto in cui è ancora un po' duro. Questo solo quando vengo troppo presto (e quando indosso il preservativo).

Un altro problema, che è praticamente il contrario dell'eiaculazione precoce, è quando (vuoi per questa condanna del preservativo, vuoi perché sei stanco o per altri motivi), senti che stai perdendo l'erezione, e allora vai a cliccare sul file della memoria e cerchi di ricordarti le pompe più belle che ti hanno fatto o le donne più... con cui sei stato, e mentre trovi la giusta ispirazione lo tieni dentro aiutandoti con le dita.

A volte, quando l'erezione è a metà, tra il molle e il duro (barzotto), basta che passi un'ambulanza, o suoni un antifurto, o si senta il rumore della marmitta truccata di uno scooter e tutto crolla. E bisogna ricominciare da capo.

Un altro problema da superare è l'utilizzo del preservativo. Ritardante ovviamente, o meglio ancora ritardante per lui e stimolante per lei (bisogna però stare attenti a non infilarlo al contrario).

Quando mi sono infilato il preservativo la prima volta e ho visto che ce n'era ancora quasi metà da srotolare ho perso un po' di fiducia in me stesso, ho capito subito che se volevo penetrare veramente in profondità una donna, l'unico modo era quello di diventare gastroenterologo. Tuttavia non ho mollato e ancora oggi opero con dignità.

Un giorno mi hanno regalato un preservativo fluorescente, di quelli che si illuminano al buio, me lo sono messo, ho spento... sembrava una lucina del presepe: non avevo un cazzo, ma un fusibile.

Una volta mi è persino capitato che il preservativo è rimasto dentro, e sono dovuto entrare con le dita per recuperarlo. Oh, urlava e ansimava come una pazza, e questo non è bello, visto che qualche minuto prima stavamo facendo l'amore e non la sentivo nemmeno respirare, c'è stato un attimo che credevo fosse morta.

Forse non sto facendo una gran figura. Però non è sempre così. Ci sono anche delle sere che facendo l'amore picchio come un fabbro e la mattina, quando esco, i vicini di casa mi fanno la ola e mi chiedono l'autografo. Succede raramente, ma succede. Punto.

Uno dei momenti più difficili quando uso il preservativo è l'intrattenimento mentre me lo infilo. Non so mai cosa dire. Ho anche pensato, a volte, di metterlo prima di uscire di casa. Per evitare l'imbarazzo.

Come quando devi chiamare l'organo genitale e non sai come farlo. Cazzo e figa è volgare, ma come si fa a dire pene e vagina? Io, come ti sarai già accorto, mi sono buttato sul vegetale: pisello e patata.

Una cosa però il preservativo me l'ha insegnata: ho capito subito che con le donne non faccio mai la cosa giusta.

Lei: «Hai portato un preservativo?»

Io: «No.»

Lei: «Come no, e adesso? Non capisci niente, cazzi tuoi, io senza non lo faccio, è meglio se mi riporti a casa.»

Oppure:

Lei: «Hai portato un preservativo?»

Io: «Sì.»

Lei: «Come sì, ti sei portato un preservativo, che idea ti sei fatto di me... questa me la dà di sicuro.

Odio la tua presunzione, non mi va più, riportami a casa.»

Ciò che ho imparato:
Lei: «Hai portato un preservativo?»
Io: «Portato apposta no, però forse ne ho uno che mi ha regalato un mio amico ieri per ridere, dovrei averlo nella tasca della giacca, non sono sicuro, speriamo di essere fortunati... eccolo, che culo, me l'ha dato proprio ieri per ridere... va che la vita è strana... quando è destino.»

Ma torniamo a parlare dei primi approcci con il sesso a due; la paura di rimanere incinta era naturalmente più delle ragazze, e i primi tempi alcune mi dicevano di uscire ugualmente, di toglierlo proprio nel momento dell'esplosione anche se avevo il preservativo. Questo suggeriva una soluzione ai tempi molto gettonata: uscire, togliersi il preservativo e venire sulla pancia di lei... *wow*!!!

«Non ti muovere vado a prendere qualcosa per pulirti.»

Erano i tempi dove si incontravano ragazze che dicevano: «Io i pompini non li farò mai, mi fa schifo solo a pensarci». Fortunatamente solo poche erano coerenti fino in fondo. Infatti dopo giorni di continue battaglie («Dài almeno un bacio, solo un secondo, come può essere che hai schifo di me? Allora non mi ami?»), il primo passo verso la vittoria era: «Ok, però dimmelo quando stai per venire che mi tolgo». Insomma le prime conquiste.

A volte era difficile da chiedere, il pompino, e quindi per far capire le tue intenzioni, le appoggiavi una mano sulla spalla e facevi una piccola pressione. Quelle che non volevano si irrigidivano e non si abbassavano neanche se usavi tutte e due le mani a piena forza. Quelle favorevoli, invece, appena facevi una piccola pressione scendevano subito con una flessibilità da far pensare che avessero il servosterzo incorporato.

C'erano anche quelle che non trombavano, ma le pompe sì, quelle le facevano eccome. La prima volta non me la dimenticherò mai: i cinque secondi più belli della mia vita (i consigli su come durare un po' di più non sono serviti a molto, almeno quella volta).

A dire il vero, la mia trombata più corta l'ho fatta qualche anno dopo in macchina. Ho spogliato la mia vittima, ho spinto il sedile indietro, le sono montato sopra, l'ho messo dentro, ho sentito che stavo venendo, l'ho tolto. Un colpo e l'ho tolto subito, l'ho indirizzato sotto il sedile e sono venuto lì sul tappetino. Per salvare la faccia ho fatto finta di niente, ho mascherato il mio orgasmo e con freddezza da assassino rigorista ho detto: «Non voglio fare l'amore in macchina, lo trovo squallido, con te voglio farlo in un letto, con calma».

Devo dire che lei apprezzò molto. Credo che questo episodio fu uno dei motivi per cui si innamorò di me. Che uomo di merda.

LA-MIA-PRIMA-VOLTA ero andato a casa di Federica, i suoi erano al lavoro. Nella sua cameretta piena di poster e foto sue al mare. Stavamo insieme già da un mese. Io avevo un po' di paranoie a spogliarmi perché le scarpe da ginnastica che avevo puzzavano quel tanto da dover richiedere il porto d'armi. Comunque le ho tolte in bagno e le ho lasciate lì dicendole che era meglio per tutti, per tutti gli abitanti del quartiere. Abbiamo fatto l'amore. Lei non era vergine, per fortuna, perché io non riuscivo nemmeno a entrare. Lo puntellavo ma non entrava, e a forza di spingere e strusciare sentivo che stavo per venire. Ero molto impacciato, molto intimidito, anche perché non è che mi aveva detto: «Oggi facciamo l'amore!». Quindi io credevo di fermarmi a un certo punto, come era sempre successo. Di solito io le toglievo la maglietta, lei mi toglieva la mia, poi le toglievo il reggiseno (il suo seno nemmeno si muoveva tanto era duro, rimaneva lì fermo, bianco con quei piccoli capezzoli rosa), lei mi toglieva l'orologio (diceva che la graffiavo), io le toglievo i pantaloni strettissimi, lei i miei, poi la toccavo. Potevo toccarla anche sotto le mutande, ma senza toglierle. Quello non voleva. E io facevo scorrere il dito sul confine tra la pelle e l'elastico delle mutande e poi infilavo sotto tutta la mano. Prima di toccarla sotto le mutande ci baciavamo talmente tanto che quando lo facevo era sempre bagnata. Potevo fare tutto con le mani, ma non toglierle le mutande. Ognuno ha le sue fisse.

Io invece le mie, già con un po' di macchiette umide, le toglievo. Avevo e ho una lubrificazione molto accentuata, quasi come un orgasmo, e un sacco di volte anche adesso quando tolgo i pantaloni nello stesso momento sfilo anche le mutande per non farle vedere. In quei momenti sembrano un quadro surrealista, hanno l'acne giovanile. Tolte le mutande mi sdraiavo su di lei e premevo il mio pisello incandescente sulla sua pancia, ci baciavamo per un po', io le toccavo il seno, poi lei me lo prendeva in mano, mi dava qualche colpetto (ne bastavano pochi) e io venivo sulle sue tette. Questo è ciò che di solito succedeva.

Quel giorno, invece, mentre la toccavo, lei ha fatto un movimento che ancora oggi considero una delle cose più sensuali ed eccitanti che una donna possa fare: molto lentamente, puntando i piedi sul letto, ha alzato il sedere e, inarcando la schiena, si è sfilata le mutande e le ha buttate sul pavimento. Mi ha guardato negli occhi e mi ha detto: «Voglio farlo».

Che belle parole. Che bel suono.

In quel momento mi sono sentito mancare, ho sentito un fuoco dentro, un buco allo stomaco, un toro tra le gambe. Quelle parole «voglio farlo» mi stavano già facendo venire.

Ciò che si nasconde sotto le mutande delle donne non era una cosa che avevo visto spesso, per lo meno non dal vivo, a parte qualche veloce sbirciatina mentre la toccavo. Ma quella cosa lì a me piaceva già per sentito dire.

Credo di essere nato con quella passione.

Il discorso è che non ero preparato: dove di solito ci si fermava, lei era andata oltre e io non sapevo che fare.

Come si incomincia a fare l'amore? Da che parte?

Mi sono sdraiato in maniera un po' goffa su di lei, e ho cercato di infilarlo senza usare le mani, ma il mio vergine pisello invece di entrare strisciava sui suoi peli. Dopo un po', con l'aiuto della mano, ho iniziato a puntellarlo, finché sono entrato e ho dato subito tre o quattro colpi, ma ho capito dalla sua espressione che c'era qualcosa che non andava. L'avevo messo tra il suo sedere e il materasso. Cazzo, mi stavo trombando il materasso. Se non mi aiutava lei ora forse sarei padre di due cuscini. Con il suo aiuto l'ho nuovamente puntato e quella volta sono entrato veramente, piano piano, era molto stretta, e dopo qualche istante ero dentro tutto. Oh, come si sta bene quando lui è lì dentro. Lì. Dentro. Al caldo.

Andavo avanti e indietro lentamente, non sapevo se tenere gli occhi aperti o chiusi, mi sentivo osservato da tutti e da tutto, da lei, dalle sue foto, dai suoi peluche, dai poster, soprattutto da quello di Vasco Rossi appeso proprio sopra il letto. Per paura di venire troppo presto ho pensato alla formazione della Juve mentre picchiava mia nonna e le spaccava un femore. Non dimenticherò mai quell'uscita a pugno chiuso di Zoff sulla dentiera di mia nonna.

Ero pieno di paure. Avevo paura di tutto: paura di sbagliare, paura di farle male, paura di venire subito, paura di venirle dentro, paura che Vasco ridesse e mi prendesse in giro.

Dopo qualche secondo (non proprio cinque come ho scritto prima), ho sentito che stavo per venire: la mia paura era giustificata, nemmeno le botte a mia nonna erano servite. Mi dispiaceva, mi spiaceva da morire, mi ripetevo nella mente: *no dài... no dài... no dài... no dài... no dài... sìì dàiii!*

Sono uscito e sono venuto sulla pancia.

Lei mi ha abbracciato, io ho messo la mia testa di fianco alla sua e le ho sussurrato nell'orecchio le mie scuse per la breve e scarsa performance. Mi vergognavo, il mio orgoglio maschile era sotto un treno. Lei mi ha detto: «È stato bellissimo... stupido. Era la prima volta no? Avevo voglia di farlo con te dal primo giorno che ci siamo messi insieme».

Mi sono sollevato, l'ho guardata negli occhi, le ho dato un bacio lunghissimo, poi mi sono alzato e con il mio sperma sulla pancia sono andato a prendere qualcosa per pulirci. In bagno mi sono guardato allo specchio: anche se la prestazione non era stata un granché ero felicissimo. Finalmente lo avevo fatto, ero un uomo. Mi sembrava perfino di avere un filo di barba. Da quel momento se qualcuno mi avesse chiesto se ero ancora vergine, io avrei risposto con uno sguardo da uomo vissuto: «Io? No!».

Quando sono tornato, Vasco mi puntava. In qualsiasi angolo della stanza mi mettessi sembrava che mi fissasse.

Tra me e lui c'era uno sguardo che sottintendeva la solidarietà tra uomini. Uomini veri. Anche un po' *sciupafemmine*. Ho avuto la sensazione che mi volesse dire: «Benvenuto».

Saranno state le tre del pomeriggio. Da lì alle sette lo abbiamo fatto altre due volte. Decisamente meglio. Da quel giorno non volevamo fare altro. Io e la Fede lo abbiamo fatto ovunque, come le seghe quando ero solo. In garage sul motorino, a casa di sua nonna, sulle scale, in solaio da me, in cantina da lei. Si sudava si rideva si giocava e si godeva. Si stava da Dio. Da-Di-o.

Una cosa strana che mi ricordo è che le prime volte non mi piaceva leccarla. Del resto nemmeno lei faceva delle gran pompe e all'inizio non davo nemmeno tanta importanza ai rapporti orali. Adesso invece quando una donna mi piace resto lì giù per molto tempo. Mi piace infilarle le mani sotto il sedere, tirarlo e alzarlo un po' verso di me e come in una coppa mistica infilarci la lingua e le labbra.

A volte metto la carta d'identità sulla nuca perché sto talmente tanto là sotto che ho paura si dimentichino chi sono. Quando finisco, la faccia mi tira tutta e la bocca sembra quella di Joker in *Batman*.

Non vorrei sembrare superficiale ma credo che non riuscirei a fidanzarmi con una ragazza che non fa i pompini. O peggio ancora che li fa con la bocca larga.

Faccio già fatica a volte a stare con ragazze che non si masturbano. Quanto è bello essere uno di fronte all'altro nudi e masturbarsi guardando l'altro fare lo stesso...

Comunque, per tornare al mio primo rapporto sessuale, sapevo che era nell'aria. Sentivo che ormai c'ero vicino e che il *Magic Moment* non sarebbe tardato a venire.

Ero cresciuto, ero pronto, già da qualche tempo ero anche più attento a pulirmi bene il sedere dopo essere andato in bagno e mi facevo il bidè. Quando ero più piccolo non lo ritenevo necessario. E un sacco di volte ero convinto di essermi sfregato bene con la carta igienica, invece poi mi toglievo le mutande e trovavo una striscettina marrone tipo frenata. Che nervi. Eppure succedeva. «Se vado a casa di una, mi spoglio e lascio cadere in fondo al letto le mutande con i baffi non è il massimo» mi dicevo e da allora ho inserito il bidè. A volte prima di buttare le mutande baffate nella cesta della biancheria le lavavo perché mi vergognavo. Anche di mia mamma.

Una volta me ne sono accorto in bagno a casa di un mio amico. Nel tornare a casa mia avevo paura che mi succedesse qualcosa: un piccolo incidente sufficiente a portarmi all'ospedale. Chissà le infermiere cosa avrebbero pensato: che ero un barbone, invece era solo un calcolo errato. Si sa, a volte ci vuole un pezzo di carta ed è sufficiente, a volte sembra che non basti mai. E quando si guarda la carta e si vede che il colore è ancora molto acceso, viene da sbuffare. Ci sono giorni che io mi stufo anche a pulirmi il culo. Giuro.

Da allora oltre alle scoperte sessuali ho cercato di capire i sentimenti e l'amore.

Se nella mia vita il sesso è stato soprattutto una grande scopata, l'amore è stato spesso una grande inculata, ma è bello per questo.

Lo dico, lo scrivo ma poi... cazzo ho paura!

# Spegnetemi
## (lunedì)

Ci sono diversi modi per svegliarsi. E diversi risvegli.

Svegliarsi con la sveglia è una cosa. Svegliarsi quando non si ha più sonno è un'altra cosa.

Se mi sveglio con la sveglia, mi alzo solo quando le lancette segnano multipli di cinque, cioè per esempio: 10:32 non mi alzo fino a quando non sono le 10:35.

Mi ricordo da piccolo quando mi svegliavo per i regali di Natale, oppure quando ci si alzava presto per andare in montagna e fuori era ancora buio.

Un altro modo è svegliarsi soli e pensare a lei, e volerla lì con sé. Oppure svegliarsi con lei e voler essere da solo. Svegliarsi e poco dopo capire che è domenica e ricominciare a dormire. Svegliarsi a casa di qualcuna e decidere di non bere più.

Insomma mille modi per dire buongiorno alla vita.

Quello che ho odiato di più era svegliarsi per andare a scuola.

Io odiavo la scuola e dal primo giorno che ci sono andato ho sempre saputo di essere fottuto, inerme, in gabbia. Lamentarsi con mia madre era inutile perché anche lei non avrebbe potuto farci niente. I miei giganti buoni erano diventati persone e non erano più Supereroi.

Quando mi svegliavo avrei voluto che nella notte fosse successo di tutto. Speravo in una guerra tra l'Italia e qualunque altro paese, o di avere la febbre a 40, speravo in uno sciopero, in un'invasione di extraterrestri. Insomma qualsiasi catastrofe era ben accetta purché non si andasse a scuola.

Mi ricordo che una notte iniziò a nevicare, mia sorella mi svegliò per dirmelo e mi disse che se avesse nevicato molto non si sarebbe andati a scuola. Tornammo a letto per dormire, ma io per un po' andai alla finestra ogni cinque minuti per controllare che non smettesse. La mattina dopo, appena mi svegliai, corsi subito a guardare fuori e vidi che tutto era normale, pulito e tranquillo. Una stronzissima pioggia traditrice aveva cancellato del tutto il mio sogno.

Ancora oggi, che sono passati più di vent'anni, non ho dimenticato la sensazione di impotenza che ho provato quotidianamente davanti a quella che ritenevo un'ingiustizia giornaliera.

Certe mattine mi fingevo malato, e se mia madre ci credeva potevo restare a letto. La rottura però era che poi il pomeriggio non potevo andare a giocare fuori, perché dovevo continuare la mia recita, altrimenti non mi avrebbe creduto più. Sono certo che più di una volta ha fatto finta di crederci. Era un suo regalo silenzioso.

Un altro tipo di risveglio, che mi accompagna da quando sono diventato più grande, è quello faticoso.

Quelle mattine in cui il materasso sfodera un'energia che ti imprigiona e la forza di gravità lavora a doppia potenza, quando un minuto vale un anno e un minuscolo secondo in più sembra oro; dici: «Conto fino a venti e poi esco» e dopo un po' ti accorgi che hai smesso di contare, e non ce la fai a uscire. Ti prometti: «Questa sera rientro presto e vado subito a letto» anche se sai che non sarà mai così, che ci sarà sempre uno stupidissimo motivo che ti farà tardare, magari solo perché non hai preso la tua macchina e devi aspettare gli altri.

Oltre a questo c'è un altro risveglio nella categoria *buoni propositi* ed è quello in cui senti dal respiro, dal polmone che fischia, che la sera prima hai fumato troppo e dici: «Oggi ne fumo pochissime» e poi ti ritrovi dopo colazione pronto a ritrattare.

Ma negli ultimi anni ce n'è uno in particolare che mi accompagna. È un risveglio unico, un risveglio avvolto da una strana e misteriosa sensazione di disagio verso tutto il mondo.

Lunedì era uno di quelli. Sono giorni che appena apro gli occhi li riconosco subito. Li sento nell'aria e mi sento a casa ovunque mi trovi: è quella sensazione di disagio-misto-blues che non è esattamente tristezza, è più un cappotto con cui difendersi dal freddo, ma che lascia comunque supervulnerabili. Mi sento a casa semplicemente perché giornate così ormai mi capitano spesso e ho imparato ad attraversarle. Ma a volte il freddo morde troppo forte... cazzo troppo forte!

Quei giorni terrei su gli occhiali da sole tutto il tempo. Per isolarmi, per nascondermi.

Tu sicuramente appena leggerai cosa mi è successo lunedì, Nico, capirai, anche se magari adesso sei cambiato e non provi più questa sensazione.

Dunque, lunedì mi sveglio e come ti ho detto capisco subito di che giorno si tratta. Comunque sia, prima che riesca a svegliarmi bene, mi ritrovo già nel traffico.

Quella mattina non avevo niente di nuovo da fare, dovevo solo andare a lavorare ma stranamente anche se non ero in ritardo i semafori rossi erano tutti miei.

Mi sono guardato nello specchietto retrovisore, la domenica sera era tutta lì, sotto i miei occhi.

Ero talmente distrutto che mi sono detto: «Sicuramente oggi incontrerò qualcuno che mi dirà che sono più bello del solito». Quando sono a pezzi c'è sempre uno che mi dice così.

Un simpaticone dietro di me mi avverte in tempo reale che il semaforo è diventato verde, metto la prima e riparto in direzione opposta a dove vorrei realmente andare.

Le persone nelle altre macchine hanno la faccia di chi è sveglio da prima di me. Da lontano un semaforo verde mi vede e diventa subito giallo e poi rosso. A volte credo che lo facciano perché sanno di intonarsi meglio con il colore della mia macchina. Nella macchina a fianco c'è una ragazza che sta discutendo con qualcuno al telefono. Avrei voluto dirle di scappare con me, ma mentre la osservo, si gira, mi guarda, e dall'espressione sembra che voglia litigare anche con me. Le sorrido e infilo una cassetta nell'autoradio (*On the beach* – Chris Rea) e anche qui un nuovo amico mi fa notare non che il semaforo è verde, ma che dall'altra parte è diventato rosso e che quindi dopo qualche decimo di secondo (sicuramente rilevante) scatterà il verde per noi.

Non mi suonano solo ai semafori, ma anche quando vado – sarà che a me non piace correre. Comunque, anche se volessi, la mia macchina va talmente piano che in autostrada, anche se andassi a tutta velocità, l'autovelox invece della foto potrebbe farmi un *ritratto*.

Riparto e arrivo in radio. Fortunatamente abbiamo un piccolo parcheggio riservato e quindi non è come quando torno a casa che prima di cercarlo devo fermarmi a fare benzina, perché a volte mi serve tutto il pieno. Una volta mi avevano rubato la macchina e dopo una settimana, proprio il giorno della pulizia della strada, me l'hanno ritrovata sotto casa. Sinceramente mi è dispiaciuto: avrei preferito aspettare ancora un giorno.

Prima di salire vado al bar a bermi un caffè, potrei farlo in radio dove c'è una splendida macchina a gettoni, ma in giorni come questo non potrei sopravvivere se vedessi uno di quei bicchierini di carta che tutti trasformano in portacenere. Lo so, può sembrare snob, ma le sigarette spente in quei bicchieri sporchi di caffè mi toccano lo stomaco. Il caffè è uno dei miei migliori amici e le sigarette sono come la mia donna. Non sarei felice di vederli insieme.

Entro nel bar, ci sono due poliziotti al banco che bevono il caffè e un terzo seduto fuori in macchina; vedo altri due ragazzi seduti a un tavolino: uno abbronzato, l'altro nero di invidia. Quello abbronzato parla di un viaggio da dove è appena tornato: *Isole di Capo Verde*. Mentre aspetto il mio caffè sento che racconta di Boa Vista: «... insomma un posto bello: c'è un oceano stupendo, spiagge bianche e non c'è molto turismo, forse perché non c'è niente».

So che quando mi sveglio con quell'umore divento pesante, critico e sembra che voglia fare l'alternativo a tutti i costi, ma provai a ripensare a ciò che avevo appena sentito: «C'è un oceano stupendo, spiagge bianche e non c'è molto turismo, forse perché non c'è niente».

Forse aveva ragione mia madre quando mi diceva

che mi lamentavo perché avevo tutto? Forse avremmo davvero bisogno di un po' di niente...

Vado, resto, mi impegno nel lavoro, firmo il contratto, mollo tutto. L'eterno ritorno. Cicala formica. Narciso Boccadoro. Per lo meno le cicale e i Narcisi sanno cosa fare.

Immaturo, immaturo, immaturo.

Bevo il mio caffè pago ed esco. I poliziotti sono andati via. Non ho niente contro le forze dell'ordine e non avevo nemmeno cose in tasca che mi potessero creare problemi. Semplicemente mi fanno sentire in difetto, insomma preferisco stargli alla larga. Sarà che ho paura delle armi o che di solito guardia e ladro corrono per lo stesso motivo. Paranoie di chi fa uso di droghe leggere.

Attraverso la strada e vado in radio. Incontro persone che sono sveglie da un bel po' e il loro ritmo è decisamente più veloce del mio, come nel traffico di prima. Saluto e cerco subito di isolarmi, ma c'è Geppo che crede sia giusto farmi sapere che venerdì sera al *Maurizio Costanzo Show* c'era una donna americana che parlava con gli spiriti e gli angeli custodi: «... pensa lei ti guarda e vede chi hai vicino, persone che tu non vedi ma lei sì e ci parla anche».

«Senti, l'unica persona che riesco a vedere vicino a me è un rompipalle. È che io spesso non vorrei parlare nemmeno con quelli che vedo, figurati con quelli invisibili.»

Questo è quello che avrei voluto dirgli, ma anche se non gliel'ho detto, mi sento uno stronzo solo per averlo pensato. Mentre accendo il computer gli dico sorridendo: «Che figata».

Tutti abbiamo dei giorni no... no? Come abbiamo i giorni sì... sì?

Quelli in cui ti svegli, ti fai il caffè e nel versarlo non lo rovesci sul fornello, in cui metti lo zucchero e nel berlo ti accorgi di averlo zuccherato in modo perfetto al microgranulo. I capelli ti stanno da Dio al punto da farti sembrare più bello e in macchina becchi una serie di semafori che diventano verdi appena ti avvicini, quei giorni che trovi parcheggio subito, fai una battuta e tutti ridono, poi ne fai un'altra e c'è già chi raccoglie le firme per farti presidente del mondo, azzardi la terza e cominciano ad arrivare numeri di telefono di donne pronte a tutto.

Se devo essere sincero, nella vita di giorni così ne ho visti un po', il problema è che non ero mai io il protagonista... però ho sentito battute bellissime e ho riso molto.

Tornando a Geppo, è una persona che a volte mi fa incazzare, ma non riesco a odiarlo. Diciamo che spesso non lo sopporto, per la sua mediocrità-mista-presupponenza. È uno di quelli che spesso parlano ad alta voce per farsi sentire dagli altri. Magari sei in fila da qualche parte o su un treno e ti parlano, ma in realtà ti usano come amplificatore intercalando a voce alta un «siccome non sono un imbecille» o un «fidati di me, te lo dice uno che ci capisce». Non lo odio, ma piuttosto che farmi un viaggio in macchina con lui, mi lego con una corda al paraurti e mi faccio trascinare. Credo che i suoi neuroni non abbiano ancora la marmitta catalitica e che quindi non possano circolare sempre. Spesso è costretto a parcheggiarli.

Comunque dopo venti minuti andavo in onda, ho scelto i dischi e ho iniziato con *Future Love Paradise* di Seal. Finito il programma, il mio umore era sempre lo stesso, ma ormai ero sveglio già da un po' e riuscivo a mascherarlo meglio.

Insomma lunedì era uno di quei giorni in cui vorrei: alzarmi, lasciare il computer acceso, non sistemare nemmeno la sedia, abbandonare la scrivania, prendere la giacca e infilarmela uscendo e scappare.

Nico, non sogno il chioschetto ai Caraibi, non sogno di vincere la Lotteria di Capodanno o il Superenalotto, semplicemente via... via da qua, da queste facce, da quest'aria che a volte ha l'odore delle minestrine delle suore.

Quel lunedì era uno di quei giorni in cui avrei voluto trovare una finestra, uno strappo, un buco che mi facesse vedere di là, che mi facesse per lo meno respirare un po' il mio mondo, la mia dimensione, il mio gruppo di appartenenza, riconoscere quelle cose che molti chiamano «Affinità elettive».

Lunedì era uno di quei giorni in cui avrei voluto gridare: CI SIETEEEEE??? MI CAPITE?!

Lunedì avrei voluto trovare un indizio, un profumo, un colore. Perché ogni tanto ho veramente difficoltà anch'io a rimettere insieme i pezzi, e divento vulnerabile, e ho bisogno di un *sì*, di uno sguardo, di uno specchio.

Ma è possibile che ogni volta che parlo di un'ambizione o di un sogno ci deve sempre essere qualcuno che dice: «Sì vabbè... però alla fine del mese c'è l'affitto da pagare». C'è sempre qualcuno che ti guarda e sembra che dica: «Diventa grande».

E per quelli diventare grande vuol dire non credere più di essere una ballerina, un poeta, un musicista, un sognatore, un fiore.

Non li sopporto.

Una mattina sono uscito di casa, il cielo era azzurro e limpido, ho continuato a guardarlo mentre camminavo, stavo bene, respiravo a pieni polmoni, al terzo passo ho pestato una merda. Cosa devo fare? Rinunciare al cielo per paura delle merde?

No, io no. Porcaputtana!

In radio, finito il programma, ho salutato tutti quelli che ho incontrato prima della porta e sono tornato a casa; c'era ancora più traffico di prima. Arrivo a casa, sulle scale incontro la ragazza che vive sotto di me, stava uscendo con il suo fidanzato. Sono pieni di piercing. Tutti e due. Ovunque. Rido pensando che dopo aver fatto l'amore debbano ogni volta compilare i moduli per la constatazione amichevole. Entro in casa e mi siedo sul divano, la mia navicella spaziale, il mio vascello di Cheope.

Da lì ho sempre esaminato il mio corpo, la mente, lo spirito, i miei e i loro comportamenti... (e non c'ho mai capito molto).

Quante domande, quanti voli pindarici, quante paure e quante orgogliose prese di posizione, piccole illuminazioni a lume di candela. A volte perfino dormire, sul divano era già come cambiare qualcosa. Ma poi arrivava il mattino, e con lui il freddo che restaurava tutto. Erano le tre del pomeriggio, volevo restare solo ma lei doveva arrivare. Quanto è difficile per me in quei momenti essere disponibile, ma mi son detto: «Ci proverò. Proverò anche a parlarle di questi miei momenti, magari sbaglio quando penso che non capirebbe».

Ogni persona tira fuori una parte di me fatta di necessità diverse, di piccoli equilibri che sono all'interno di altri più grandi, come fossero matrioske. La parte che emerge con lei non ha mai preteso di affrontare queste domande e questi stati d'animo.

Lei si chiama Laura (non è Lauretta), la conosco

da circa un paio di mesi, fa la parrucchiera in un negozio del centro, e il lunedì non lavora.

Suona il campanello, le apro, mentre sale le scale decido di parlargliene, ok, ci riprovo. Siamo solo noi, quindi non è detto che anche questa volta esca il solito che alla fine parla dell'affitto o che fa: «Però tutto sommato in Italia non si vive male». Tutte cose che non c'entrano mai un cazzo.

Comunque lunedì con lei ho sentito che sarebbe andata diversamente, ne ero ormai convinto, una strana emozione mi faceva vibrare il corpo.

Nico, fai attenzione, si apre la porta ed entra, bella come mai, si avvicina, mi dà un bacio «... Come va?... Cos'hai?... Sei più bello del solito oggi» (eccola qua). Chiacchieriamo del niente, poi dopo qualche minuto ho sentito che era il momento.

La guardo e le dico: «Senti... ti volevo dire, ma a te non capita ogni tanto di sentirti strana, sola, di parlare con certa gente e accorgerti che parlano un'altra lingua, di guardare per esempio la televisione e capire che il tuo mondo è decisamente diverso, di sentirti come un extraterrestre. Parlo di quei giorni in cui vorresti andare così lontano da non aver voglia nemmeno di alzarti dal letto».

Mentre ne parlavo sentivo che mi stavo liberando, sentivo che ero stato uno stupido a non parlargliene prima. Finisco il mio piccolo monologo. Non avevo barriere, non avevo muri, ero nudo: completamente nudo. Qualche secondo di silenzio, poi cerco uno sguardo, un piccolo gesto, una parola. Laura aprimi quella finestra ti prego, ti supplico... mi hai capito???

E lei: «Sì sì, ti capisco... Ma si vede che ho fatto la lampada?».

Spegnetemi!!!

# Cose che capitano

Caro Nico, avrei un sacco di cose da chiederti, e spero che quando leggerai questa lettera mi risponderai. Anche se sei talmente lontano che non so nemmeno se le mie parole ti arriveranno, anzi il dubbio che non ti arrivino, mi fa essere più sciolto e tranquillo. Come quando si scrive una lettera d'amore la sera e poi la mattina nel leggerla ci si vergogna e non la si spedisce.

Qual è la nostra vera persona? Quella che scrive la sera chiusa in un'intimità e in una dolcezza da rischiare il diabete e le carie, o quella che al mattino dice: «Guarda cosa ho scritto, ma com'ero messo ieri sera?».

La soluzione per quel tipo di lettere è dettarle.

Se tu la sera, invece di scriverla da solo, la detti a un amico e la fai scrivere a lui, eviti di finire in quel girone patetico dove l'orgoglio umano viene sotterrato dal miele dell'umiliazione.

Funziona credimi, il problema è che, comunque, sentirai la necessità di scriverne un'altra da solo, e quindi siamo daccapo, perché in fondo ci piace, a volte, diventare lo zerbino di qualcuno. Come ci piace, a volte, dire che in amore siamo sfortunati.

Senti qua: *Perché non pensi di non capire quando capisci di non pensare.*

È una frase che mi sono scritto un giorno sulla lavagnetta in cucina.

Capire, capire, capire il perché delle cose. Capirne il senso. Non è una scelta voler capire, lo devi fare, non puoi farne a meno, è una cosa più forte di te. Giusto?

Come quella volta, da piccolo, che dovevo assolutamente sapere cos'era che faceva rumore nella pancia del mio cavallo a dondolo. L'ho distrutto. Gli ho staccato la testa. Erano delle piccole biglie di carta.

L'ho saputo, ma ho perso il cavallo. Beata ignoranza.

Io amo fare cose senza senso, ma sono anche le cose che mi catturano di più, perché cosa c'è di più affascinante poi che cercar di capire cosa mi ha spinto a fare una cosa senza senso?

Ho letto libri, ho fatto viaggi, ho cercato un equilibrio, una pace, *Un centro di gravità permanente* come Battiato. Ma io mi sento dentro una strana irrequietezza, sento che qualcosa in me ribolle, ma non so come tirarla fuori.

Vengo assalito a volte dalla voglia di sapere, entro in libreria e guardo tutti i libri e sono tanti, tanti, tanti, e so che in ognuno di loro ci potrebbe essere una cosa che dovrei sapere, che potrebbe essermi utile e vorrei leggerli tutti. Mi sento inerme davanti al fatto che non so tante cose, e che non mi basterà una vita per saperle. Mi succede anche con la musica, pensa quante canzoni che io semplicemente non conosco ma che impazzirei ad ascoltare. Quante emozioni e pelle d'oca a cui rinuncio per ignoranza.

Quante cose che non conosco. Quante. Troppe.

Ignorante, ignorante, ignorante.

Ogni tanto, Nico, penso alla mia famiglia, a mio padre, a mia madre, e vedo i loro sacrifici e mi chiedo se ha avuto un senso, se ne è veramente valsa la pena.

Io vorrei una vita migliore per me, non in quanto a benessere materiale lo sai, ma nel senso di tempo, più tempo per me stesso, una qualità della vita fatta di piccole cose, di serenità, profumo di caffè, pace.

La mia famiglia mi ha insegnato il rispetto verso gli altri, *le buone maniere* come dice mia madre.

Mi hanno insegnato il sacrificio, anche se a me sembra che a volte non convenga. Mi sento schiacciato tra i loro insegnamenti – che fanno parte di me, del mio DNA – e la vita che mi circonda e che mi invia messaggi contrastanti.

A volte mi è capitato di non fare certe cose perché non le ritenevo giuste, per lo meno non lo erano secondo il mio modo di pensare. Spesso ho trovato chi per convincermi mi diceva: «Se non lo fai tu tanto lo fa qualcun altro».

Ma che cazzo vuol dire? Se per me non è giusto, cosa cambia se lo fa qualcun altro? Non può essere la morale e l'etica di un altro a giustificare il fatto che io lo debba fare, visto che comunque io rispondo a me, di me.

A volte mi chiedevano di fare delle serate in discoteca dove dovevo mettere della musica che a me non piaceva e, quando rifiutavo, mi dicevano: «Che ti frega, tanto non ti sputtani, non ci va nessuno di quelli che ti conoscono».

Ci sono io, e a me basta.

Ti ricordi a scuola quell'imbecille della B, come si chiamava, Beppe mi sembra, ti ricordi com'era manesco, attaccabrighe, tutti ne avevano il terrore ma tutti lo rispettavano e ambivano a essere suoi amici.

Quante volte avevo sognato di essere un bravo picchiatore e dargli una lezione, quanto mi innervosiva quell'arroganza, e quanto odiavo essere così inerme. Mi ripetevo: «Se fossi cintura nera di karate...».

E quanti deficienti che lo imitavano, facendo anche loro gli spavaldi con la vittima di turno. Una volta ho fatto a cazzotti con uno di loro. In quel periodo potevo sopportare qualsiasi insulto senza incazzarmi, qualsiasi tranne uno. Quello ha iniziato con frocio, checca, bastardo, cazzo moscio, orecchie a sventola, naso di pongo, faccia di cacca. Io nemmeno una piega, impassibile come un monaco tibetano. Poi ha sbagliato. Mi ha detto *figlio di puttana* la parola magica: l'unica che mi avrebbe fatto attaccare a mani nude anche un pullman di culturisti.

«Lascia stare la mia mamma» ho risposto. Poi cazzotto in faccia.

Nella vita di adesso quante volte incontro dei Beppe... Non che sia uguale, nel senso che è una cosa meno fisica, nessuno mi picchia, ma nello stile o in altre maniere sono sempre dei Beppe e io provo ancora le stesse sensazioni.

Ti ricordi quel periodo della scuola quando i più cafoni, quelli con meno rispetto per le ragazze erano quelli che ne avevano di più? Hai presente quella ragazza che piaceva tanto a Luigi, io me la ricordo bene, Cristina. Non ho mai capito perché gli piacesse, comunque Luigi con lei era sempre carino, gentile, attento. In cambio cosa aveva ottenuto? Lei addirittura per la sua gentilezza lo prendeva in giro e preferiva farsi maltrattare da un altro.

Eravamo pischelli. A scuola ogni tanto cercavamo

di imitare quelli più duri, come quando andavano di moda le penne colorate e profumate alla frutta e noi le prendevamo alle nostre compagne, ce le infilavamo nelle mutande e poi si chiedeva: «Le rivuoi?». A loro faceva schifo e ce le lasciavano. Abbiamo svuotato un sacco di astucci, rimanevano solo i compassi. Era un po' la stessa cosa di quando da piccolo qualcuno ti chiedeva di assaggiare il gelato o il panino e tu lo leccavi tutto e poi chiedevi: «Cos'hai detto?».

Per noi questo era fare i duri, poi si tornava a casa e i genitori ti dicevano di comportarti bene. La vita di tutti i giorni era diversa da come tua madre ti stava insegnando. Tante cose lei non le vedeva, e non c'era quando i suoi insegnamenti venivano stracciati. Lei non c'era quando si parlava di sesso, di droghe, e di tante cose non ne conosceva nemmeno l'esistenza. Non poteva certo sapere che bastava indossare un maglione sbagliato per diventare il pupazzo della classe per mesi.

Luca per una giacca di renna con le frange è stato emarginato e ha vissuto in totale solitudine per quasi un trimestre.

Il problema è che i nostri genitori hanno avuto una vita completamente diversa, o questo almeno era quello che ho sempre pensato.

Nico, sai di cosa faccio parte? *Di una generazione allo sbando*, come direbbe sicuramente il mio ex professore di italiano. Una generazione guidata dai falsi miti televisivi, che occupano una fetta sempre più grande della nostra vita.

La televisione, se ne parla sempre tanto. Sai che rapporto ho io con la televisione? O è accesa lei o sono acceso io. Quante volte la si guarda anche se non c'è niente che ci interessa, semplicemente perché si ha l'abitudine di accenderla. Quando vedo quei film dove le macchine e i computer si ribellano all'uomo e iniziano a comandare loro penso che in fondo in qualche modo il processo sia già iniziato.

Anche con il telefonino. Molte volte chiamo semplicemente perché ce l'ho. Comincio a far scorrere i nomi nella memoria e cerco qualcuno da chiamare. Ce l'ho in mano e mi viene da chiamare.

Non stanno già comandando loro?

«Oggi più che mai gli uomini dovrebbero imparare a vivere senza gli oggetti. Gli oggetti riempiono l'uomo di timore: più oggetti si hanno più si ha da temere. Gli oggetti hanno la capacità di impiantarsi nell'anima per poi dire all'anima che cosa fare.» (*Le vie dei canti* – Bruce Chatwin.)

A parte che io ho uno strano rapporto con il telefono, un rapporto di sfiga. Se mi chiama uno che non ho voglia di sentire, uno di quei rompipalle che chiamano appena lo accendi, la linea è perfetta e si sente da Dio. Quando invece c'è la telefonata della mia vita con qualcuna che mi piace o una telefonata importante di lavoro non si sente un cazzo, tutto metallico con la voce che va e che viene. Io non ho il coraggio di interrompere per dire che non capisco, cerco di mettere insieme le parole che sento a intermittenza e provo a costruire una frase che abbia senso.

«... Mi piace molto quando tu... *zher charg ndhdu* e penso che in fondo io per te... *gtdrv bvhfyr cyhdh* ne sono certa, ma perché... *gftd dbcbcyd* dimmi... *bufj jfjjv* domani?»

Oppure sto scrivendo un messaggio lungo e quando lo sto per inviare mi chiama sempre un rompipalle e mi si cancella.

Il telefonino un po' lo amo e un po' lo odio, ma

chi mette le suonerie con le canzoncine lo impicche-
rei. Soprattutto chi decide di provare la suoneria in
mezzo alla gente, magari in pizzeria.

La settimana scorsa ci sono rimasto male per colpa di un telefonino. Stavamo facendo l'amore e nel
mentre a lei arriva un messaggino... *pit pit pit*. Ovviamente non ha guardato subito, ma appena abbiamo finito sì. Ho pensato che se lo era ricordato subito, anzi la tristezza è che sicuramente non aveva
pensato ad altro per tutto il tempo.

Un'altra volta, eravamo a casa mia e il suo ha
squillato. Era sua madre e lei invece di dire «sono da
un mio amico» ha detto «sono da...» e ha usato il mio
nome. Voleva dire che la mamma era al corrente della mia esistenza, voleva dire che ne avevano probabilmente parlato, la mamma sapeva di me. Dopo tre
giorni che la conoscevo mi è sembrato un po' eccessi-
vo. Non penserà mica di fidanzarsi? Ho paura.

Immaturo, immaturo, immaturo.


Fortuna che nella vita poi quando meno te lo aspetti succede qualcosa che cambia tutto, e io aspetto,
aspetto ancora un po' e se non arriva niente, mi toc-
cherà fare la prima mossa.

Quello che mi è successo un mese fa non mi ha
proprio cambiato la vita, ma mi ha fatto comunque
piacere. Erano circa le dieci di sera, io ero in cucina
a strimpellare la chitarra e a un certo punto suona il
campanello, un suono strano, diverso, tanto che
pensavo non fosse il mio. Ma mi alzo, appoggio la
chitarra, e vado a vedere chi è.

Era Sara, una mia amica che lavora in una discoteca come barista, le apro e le dico di salire.

La conosco da qualche mese, ma non so molto di

lei e quando la chiamo a casa non c'è mai, è sempre in giro. Quando non lavora spesso passa a trovarmi: a differenza sua io sono praticamente sempre in casa, dicono che è perché sono del Cancro.

Del Cancro si dice anche che oltre alla casa è amante del seno. Effettivamente se avessi la casa piena di tette non uscirei mai.

L'aspetto davanti alla porta. Lei entra e senza nemmeno salutarmi mi bacia sulla bocca, poi scende sul collo, inizia a spogliarmi e a spogliarsi.

È bellissima. Mora, capelli lunghi, occhi scuri, un seno da copertina, carnagione olivastra, e un profumo della pelle afrodisiaco e sexy. Come quel tatuaggio che parte da appena sotto il seno e come un serpente arriva fino all'inguine, che quando facciamo l'amore sembra vivo.

Scivoliamo praticamente nudi sul pavimento, prende un preservativo dalla borsetta, me lo mette con la bocca, poi mi sale sopra, sposta un po' il perizoma e mi fa entrare dentro di lei. Morsicandosi le labbra comincia ad andare avanti e indietro, prima lentamente, poi sempre più veloce, fino a... *Ah! Ah! Aaaahhhhhh!!!*

Insomma, non so come dire, sono quelle visite che fanno sempre piacere, o no? Poi ci siamo alzati e abbiamo fatto la doccia. Ci siamo insaponati, massaggiati, leccati, sputati l'acqua addosso. Avvolti in asciugamani bianchi come nei film ci siamo asciugati a vicenda. Siamo andati in cucina e mentre io preparavo il tè, lei ha rollato una canna.

Verso mezzanotte, mentre Sara mi stava raccontando di un ragazzo con cui usciva da qualche giorno, suona il suo telefonino. Era Denise, una sua amica olandese che viene in Italia ogni quattro mesi per sfilare, una delle tante modelle che girano per Milano. Si sono conosciute in discoteca, e Sara la invita a casa mia.

Chiude la telefonata, mi si siede in braccio e mi accarezza la testa. È molto affettuosa, il nostro rapporto non è solamente legato al sesso, c'è molto di più. Nessuno dei due è innamorato, lei addirittura come ti ho detto prima mi parla anche dei suoi uomini, e io non sono geloso, anzi cerco di darle perfino dei consigli e lei mi ascolta volentieri.

Io sono la sua isola felice, la sua uscita di sicurezza. Da me si rilassa e sta bene, e io uguale con lei.

Dopo circa mezz'ora mentre io le stavo baciando il seno, suona il campanello.

Tu penserai: «È Denise». Esatto!

Rolliamo un'altra canna, chiacchieriamo un po' e mentre cambio il cd *Rubber Soul* dei Beatles con *The Virgin Suicides* degli Air loro iniziano a baciarsi. Nico: una scena da sogno, una di quelle scene che dici: «Mi sta capitando quella cosa che racconterò per il resto della vita, quella cosa che farà parte dei miei racconti preferiti».

Sono quelle scene che a un certo punto in qualche serata si sente: «*Oh, racconta di quella volta con quelle due...*».

Comunque, loro si baciano, io le guardo, poi mi avvicino, ma non mi vogliono, si spostano sul divano tenendosi per mano e mi dicono che posso solo guardare.

Denise non la conoscevo, era la prima volta che la vedevo. Bionda, con i capelli corti appena sopra le spalle, occhi chiari, carnagione chiara, ovviamente magra, insomma l'opposto di Sara: la prima, una pantera d'attacco, l'altra, una fatina olandese da favola.

Si muovevano con una confidenza che lasciava intendere che non fosse la prima volta, Denise era sdraiata sopra Sara e mentre la baciava si sistemava i capelli dietro l'orecchio. Ho pensato che fuori facesse freddo perché aveva ancora tutte le punte delle dita rosse. Scendeva sul corpo di Sara con piccoli baci, fino ad aprirle le gambe e leccarla dolcemente.

Sara mi guarda, nei suoi occhi uno sguardo complice, sembrava volesse dirmi: «Questo è il mio regalo per te. È il mio modo di ringraziarti per tutte le volte che sono venuta qua e ho trovato un amico, ho trovato casa. Questa è una cosa speciale ed è per una persona speciale... tu».

Forse era solo quello che volevo sentirmi dire.

Poi, con le braccia buttate indietro sul bracciolo del divano mentre si leccava appena sotto le ascelle, il suo sguardo sembrava voler dire «vieni avanti», allora mi avvicino. Avevo capito bene, mi slaccia la cintura e mi abbassa i pantaloni.

Inizia a leccarmelo e prendermelo in bocca, poi scende e mi lecca le palle, poi torna su e vedo il mio pisello sparire tra le sue labbra. Con la bocca piena respira affannosamente dal naso, guardo Denise e vedo la sua lingua dare delle lunghe leccate dal basso verso l'alto: era molto eccitante, guardo nuovamente Sara e capisco che sta venendo.

Contenta del risultato raggiunto, Denise si solleva e si avvicina a me, si passa le mani nei capelli e poi si infila un dito in bocca. Lo passa sulle labbra scende sul seno e infine inizia a toccarsi mentre distende l'altra mano verso di me e mi invita a sdraiarmi accanto a lei. Comincio a baciarle il collo, che ha il sapore di agrumi, poi scendo e le lecco il seno, bianco, talmente bianco che si vedono delle piccole vene blu. Un seno piccolo, tondo e meno duro di quanto pensassi, ma sempre molto attraente. Le lecco la pancia, l'ombelico, i fianchi, alzo con la lingua l'elastico delle mutande, poi scendo sulle cosce, sulle ginocchia giù fino alle caviglie. Adoro le caviglie, morsicare l'osso e poi dietro il tendine. Risalgo piano, metto le mani dietro le sue ginocchia e la trascino in basso più vicina a me, le alzo le gambe sopra la mia testa e le sfilo le mutande. Sempre con le mani sotto le ginocchia spingo le sue gambe verso la sua faccia e mi si presenta una gnocchettina tutta rosa che dalla posizione delle gambe sembra pronta ad aspettare la mia lingua o il mio piso. La lecco, la lecco con molta delicatezza, dal basso verso l'alto senza entrare. In questa posizione è facile anche leccare il buchino del sedere. La lecco anche lì, anzi parto da lì e finisco sul clitoride. La sua Pussy è tutta bagnata e io entro prima con la lingua, poi con l'indice e infilo il pollice nel sedere.

Cerco di toccarmi le dita dentro e dal respiro capisco che le piace. Poi metto le sue ginocchia sulle mie spalle e lo metto dentro. Tutto questo sotto lo sguardo attento di Sara che mi vede apprezzare il suo regalo.

Sara si alza e comincia a baciare Denise in bocca, Sara adora sentire il proprio sapore in un'altra bocca. Quando gliela lecco, poi mi supplica di baciarla subito.

Si danno un bacio cabrio, di quelli che si vedono le lingue, io pompo a colpi secchi delicati ma decisi, tanto che il seno di Denise si muove su e giù, su e giù, su e giù. Dopo qualche minuto ci troviamo in una posizione in cui siamo tutti e tre uniti. Denise bacia la patata di Sara lei mi bacia in bocca e io sono dentro Denise. Un cerchio completo. L'olandesina comincia ad ansimare e poco dopo viene, e io vengo con lei. Faccio fatica a tenere gli occhi aperti. Casa mia non sembra più casa mia, mi gira la testa, mi alzo, ma nell'alzarmi picchio forte il gomito contro uno spigolo e... mi sveglio. Solo nella mia stanza con una sensazione umida nei boxer.

Un altro bel quadretto surreale alla Dalì sulle mutande.

Come ho potuto crederci? L'avevo detto all'inizio che il campanello aveva un suono diverso. Pazzesco.

Comunque anche quando mi accorgo che sto sognando, faccio sempre finta di niente e arrivo fino in fondo.

Una volta ho sognato di fare l'amore con la centralinista della radio, quella che abita vicino e che riesce ad andare a casa nella pausa pranzo. Mi piace perché quando torna ha le righe del piumino in faccia... «Mi sono buttata giù un attimo.» Ho sognato di andare a casa sua nella pausa pranzo e di fare l'amore con lei. Alla mattina, quando poi l'ho vista, mi sembrava di avere più confidenza, come se fosse successo veramente.

Le volevo più bene e avrei voluto farlo ancora. Ancora una volta. Subito.

# Milioni e milioni di spermatozoi
## (e tutti vivi)

Ieri sera ho scoperto quanti spermatozoi ci sono in ogni eiaculazione. Non che sia stato a contarli, ma mi sono informato.

Ieri sera, Nico, sono rimasto a casa (come quasi tutte le sere, del resto), niente di nuovo se non fosse che ho affittato una videocassetta. Di solito quando penso di farlo, poi mi dimentico di passare in videoteca, e anche se da quando c'è Blockbuster posso andarci fino a mezzanotte, spesso dopo cena non ho voglia di riuscire e ci rinuncio.

Ieri invece mi sono ricordato, ma siccome la mia videoteca era chiusa sono passato da Blockbuster, come tutti i non appassionati di cinema. È pazzesco come ogni volta che entro con l'idea di prendere un film che scopro «già fuori», come mi dicono loro, quanto tempo resto per decidere cosa affittare in alternativa. Infatti, o lo so già da casa cosa voglio, o passo dei quarti d'ora girando tra gli scaffali. Ieri alla fine per disperazione ho affittato *Senti chi parla*.

Visto che ero in giro sono passato anche da Tommy, il mio pusher di fiducia per comprare un po' di Ganja.

Tommy è uno spacciatore *light*: spacciatore di droghe leggere professionista. Non è come quei ragazzini che spacciano un po' di fumo per fare due soldi, o come quei marocchini o albanesi che due volte su tre ti inculano.

Se decidi di fumare devi fumare bene.

Da Tommy si fuma bene, perché prima di tutto lui fuma e secondo ci tiene. Stranamente l'unica volta che è andato in galera è stato qualche anno fa, quando aveva diciotto anni circa, e si è fatto un anno per un motivo nobile lontanissimo dalla droga: si era rifiutato di fare il servizio militare.

Infatti Tommy è un pacifista. È fuorilegge e vende erba e fumo, ma è un pacifista. Tommy è lo *spaccifista*.

Ho comprato centomila lire di Skunk e sono andato a casa. Si prospettava una seratina niente male. Quindi dopo aver mangiato ho lavato i piatti della cena, del pranzo, della colazione. E poi di nuovo del pranzo, della cena, insomma, una pila di piatti iniziata due giorni prima. Spesso mi capita di lavare preso da un raptus: inizio da quello che mi serve – il cucchiaino del caffè per esempio – e poi non mi fermo finché non ho lavato tutto, comprese le federe del cuscino. A volte il raptus mi viene quando non riesco più a riempire un bicchiere d'acqua perché tra il rubinetto e la cima della pila non c'è abbastanza spazio.

La sera comunque lavo spesso anche per un altro motivo: perché la mattina dopo, quando mi alzo ed entro in cucina, vedere tutto pulito mi fa stare meglio. Per lo stesso motivo di solito svuoto il posacenere prima di andare a letto.

Fare colazione la mattina e trovare tutto pulito è diverso. Vuoi la tazza? Ecco la tazza pulita. Vuoi il cucchiaio? Ecco il cucchiaio pulito. Insomma sembra di essere a casa dei miei.

Comunque tutto era pronto, la cucina era pulita, io

anche, i telecomandi erano sistemati sulla parte del letto che spetterebbe a un'altra persona. Posacenere sulla pancia e canna preparata prima di lavarmi. Dal profumo ho capito subito che Tommy è una certezza.

Spengo la luce e accendo tutto: tele, video e canna.

Il film inizia con una corsa impazzita di spermatozoi. Fantastico, un trip pazzesco, al punto che più avanti, dopo circa cinque minuti, mi accorgo che ho perso tutto perché sto ancora pensando agli spermatozoi. Sono stato travolto da mille domande, e sì che l'ho sempre saputo come funziona; ma proprio stasera capisco che non so niente: Quanti sono? Sono tutti uguali?

Ok, mi son detto: «Il film lo guarderò domani o comunque più tardi. Ora devo sapere».

Esco dal letto, riaccendo la canna che si era spenta e capisco che forse anche lei c'entra in tutto questo. Vado verso l'Enciclopedia Universale tascabile, e leggo: *Ogni eiaculazione maschile contiene circa duecento milioni di spermatozoi.*

Contiene 200 milioni di spermatozoi?!

Nico... 200 milioni.

Rifletto: 200 milioni di spermatozoi. Oh, insomma! Una cifra, se pensi che Roma ha circa 5 milioni di abitanti e quando sono nel traffico già quelli che si trovano con me per la strada mi sembrano troppi. Pensa come si sente uno spermatozoo in mezzo ad altri 200 milioni.

Mi riordino le idee. Dunque. Quando un uomo si eccita, loro si preparano, sono pronti a uscire (anche prima di quando tu vorresti), e senza sapere come andrà a finire, iniziano a correre. Supponiamo che si voglia avere veramente un figlio, quando entrano nella donna, tutti corrono per lo stesso scopo, tutti contro tutti. Il punto più vicino e più breve tra la vita e la morte. Tranne qualche caso gemellare, su 200 milioni solo uno riesce nell'intento, e se io sono qui vuol dire che sono quell'*uno*, alla faccia di Morandi che canta *Uno su mille ce la fa*.

Dà un po' più di fiducia in se stessi sapere di aver vinto una gara con 200 milioni di iscritti, io che me la tiravo per essere arrivato terzo alla campestre delle medie.

Mentre continuo a informarmi leggendo, mi chiedo: «Ma quanti ne ho buttati via nella mia vita?».

Quante volte ho avuto rapporti sessuali senza l'intento cristiano di procreare? Quanti orgasmi mi sono regalato da solo?

Non vorrei tornare sempre sul discorso delle pippe, ma se a 14 anni avessi saputo dell'esistenza della banca del seme, ora sarei talmente ricco che paghereì Eric Clapton per accordarmi la chitarra.

Quante volte il mio pregiato seme è finito da tutt'altra parte?

(Ognuno pensi al suo.)

Poveri spermini, loro convinti di fecondare e invece chissà dove sono finiti. Immaginati la scena (se ti ricordi il film ti sarà più facile).

Loro escono correndo e urlando: «Via... Viaaaaa! Alé... Alé... Fate largo! Avanti tutta! Chi si ferma è perduto, vai... Vaiiiiii... Crossa al centro passa all'ala, mi sembra di vedere un bell'ovulone, sì, sì, è lui. Adesso lo sfondo a testate e fra diciott'anni e nove mesi mi compro la macchina... *pam!!! tum!!! sbem!!!* Oh! Duro 'sto ovulo, non pensavo!!!».

E questo povero spermino col fiatone, dopo una lunga corsa, dopo decine e decine di tentativi, morirà senza sapere che ha preso a testate una tonsilla o chissà quanti altri posti innaturali: cruscotti di macchine, preservativi, seni, schiene, fazzoletti, pance, non finiremo mai.

# Mario = tutte troie

Ma non sarà che le donne (visto) che un giorno saranno mamme, sono già per natura portate ad amare un altro più di loro stesse?

Mah... Forse ho scritto una cazzata. Però credo che ci sarebbero meno problemi nel mondo se anche gli uomini partorissero. Per lo meno i nove mesi e il momento del parto aiuterebbero per avere una maggiore consapevolezza e senso di responsabilità.

Non ne sono convinto, mi è venuto in mente adesso mentre ti sto scrivendo, non ci ho mai pensato.

Sarà una riflessione nata da quel mio essere un femminista moderato.

Cazzo, una donna lo sente che sta diventando mamma, lo vede, mentre un uomo sta nel corridoio e a un certo punto esce una e ti dice che sei diventato papà. Anche a ingrassare è tua moglie, mica tu. È lei che lo fa. Tu hai solo collaborato.

Una volta mi hanno chiesto se credo alla parità dei sessi. Io ho risposto che non solo ci credo ma che c'ho sempre sperato. Avendo il cazzo piccolo, desidero la parità dei sessi: inteso come misura naturalmente.

Il cazzo piccolo era uno dei miei grandi problemi

prima che me ne facessi una ragione, ma adesso ho capito che non è poi così grave: cioè a parte il rischio di farsi un bidè col Topexan, per il resto va tutto bene.

Ho letto che nella tribù Caramoja nel nord dell'Uganda attaccano dei pesi al pene per allungarlo. È un metodo talmente efficace che a volte se lo devono annodare. Come li invidio. Vuoi mettere che effetto scenico togliersi i boxer e aver sotto un bel fiocco?

Se lo avessi saputo da piccolo, io che quando giocavo a calcio negli allievi facevo la doccia in mutande...

Ho avuto un dialogo la settimana scorsa sull'argomento uomo-donna con il tecnico del mio programma, si chiama Mario, ed è una delle persone più pratiche che abbia mai conosciuto.

Mario è uno di quelli, per farti capire, che sostiene che tutte le donne sono troie e che l'uomo è superiore alla donna su ogni argomento, lavoro o situazione.

Ti riporto il suo monologo: «È inutile menarla tanto con questa storia dell'uguaglianza tra uomo e donna. L'uomo è superiore in tutto, anche nei lavori che si potrebbero definire femminili. Per esempio i cuochi migliori sono uomini, i sarti e gli stilisti migliori sono uomini. Persino le pompe le fanno meglio i trans, questo me lo ha detto un mio amico».

Io non ho risposto, con lui il dialogo non è mai morbido, e non contempla mai l'idea di poter sbagliare. Mario è fatto così, non ho mai parlato con lui di omosessualità, ma sono sicuro che se gli chiedessi cosa ne pensa mi direbbe: «Ah!... io non ho niente contro i froci, io vivo e lascio vivere, basta che stiano al loro posto. Cazzi loro, ognuno è libero di fare ciò che vuole, basta che non mi rompano i coglioni a me».

Anche se la cosa che mi infastidisce di più sentendo parlare di omosessualità, è quando qualcuno per dimostrare che non ha pregiudizi dice: «A me sono simpaticissimi i gay».

Sembra diverso da cosa direbbe Mario, ma in realtà non cambia molto: nessuno dei due è sfiorato dall'idea che i gay sono belli, brutti, stupidi e intelligenti, simpatici e antipatici perché sono persone.

Comunque, non so se è chiaro che tipo sia, Mario. È uno che se chiedi in giro cosa ne pensano di lui, tre quarti delle persone cominciano dicendo: «Non è cattivo, ma...».

Quando una ragazza gli dice di essere fidanzata lui risponde: *Non importa io non sono geloso*. E poi fa anche: *Io sono buono e bravo, ma se mi rompono i coglioni divento una belva*.

Comunque io gli sono affezionato e anche se a volte il suo modo di ragionare mi infastidisce, gli voglio bene, perché lui ha delle qualità che gli invidio. Mario è fedele, Mario è onesto, Mario ride e soprattutto Mario ti manda a cagare, chiunque tu sia.

Un'altra cosa che ti volevo dire su Mario è che mangia sempre, in continuazione. Ha sempre in mano un pacchetto di cracker, o un gelato confezionato o una mela o un Mars, un Bounty, un Bueno, eppure non è grasso... anzi.

Una volta Eugenio, l'altro tecnico, gli ha chiesto: «Ma quando ti fai una canna e ti prende la fame chimica che fai?».

Lui gli ha risposto che non se ne era mai fatta una, ed Eugenio ha detto: «Se un giorno decidi di fartene una, fattela al supermercato».

Sulla teoria di Mario che tutte le donne sono troie io credo che chi lo dice si riferisca a quelle che ha conosciuto. È normale che se davvero ne sei convinto, incontrerai sempre un certo tipo di donna.

Ma Nico, cosa fa di una donna una troia?

Tu questo lo hai capito adesso?

È quello che fa, o come lo fa?

Qual è l'aggettivo equivalente per un uomo?

A me le donne piacciono, mi sono sempre piaciute sin da piccolo. In prima elementare ero già innamorato della maestra, che però ho dimenticato quando sono andato fuori di testa per Lady Oscar (anche perché le mie compagne non mi cagavano ed erano innamorate perse di Terence di *Candy Candy*).

Prima la maestra, poi Lady Oscar: nessuna delle due mi considerava, quindi ho imparato presto a soffrire per amore e ancora adesso non mi fido. Ma l'emisfero femminile mi ha sempre affascinato, forse perché le bambine non staccavano le ali alle mosche, né tagliavano le code alle lucertole.

Strana questa cosa della violenza agli insetti quando si è piccoli, adesso non so se ci riuscirei più. Se ti dicessero di sparare a un gatto per cento milioni, lo faresti?

Una sera, tanti anni fa, ho fatto questo stupido gioco con degli amici: si diceva che ogni uomo ha un prezzo; il fatto che tutti quei soldi di cui si parla in realtà non siano disponibili falsa un po' la verità, ma la sostanza non cambia. Ti faccio qualche domanda di quella sera. (Le avevamo trovate su un libro.)

**1.** *Accetteresti di uscire dall'Italia e non poterci più tornare per tutta la vita in cambio di due miliardi?*

**2.** *Accetteresti di non poter più vedere il tuo migliore amico per il resto della vita sempre in cambio di due miliardi?*

**3.** *Lo prenderesti nel culo per 500 milioni?* (Questa è meno ideologica e infatti la cifra è più modesta. C'è stato chi ha risposto «sì» anche in mondovisione.)

**4.** *Faresti un lavoro che non ti gratifica per 1.800.000 lire al mese?*

Dopo queste domande, il gioco si era spostato su:
*Fai la classifica dei cinque lavori che non vorresti mai dover fare nella vita.*

Io, lo sai, non ho molti problemi quando c'è da lavorare, ma se potessi scegliere, la mia classifica sarebbe:

**1.** Becchino (o come si chiama adesso quello delle pompe funebri).

**2.** Macellaio (lo sai che non posso vedere il sangue).

**3.** Medico chirurgo (per lo stesso motivo del macellaio).

**4.** Notaio (ho paura dell'inferno).

**5.** Uomo politico (per lo stesso motivo del notaio).

Io poi ho chiesto la possibilità di aggiungerne un sesto, e mi è stata concessa. Quando ho fatto la visita medica per il servizio militare, i famosi tre giorni, mi ricordo che c'era un medico che stava seduto alla sua scrivania, con un guanto bianco alla mano sinistra, e noi tutti nudi in fila indiana andavamo da lui a farci toccare i maroni.

Ecco, potendo scegliere, questo è il sesto lavoro che non vorrei fare. Diciamo che non impazzirei dalla gioia ad andare in un ospedale militare, che già è un ambiente tristissimo pieno di armadietti e luci al neon, e toccare ogni settimana migliaia di coglioni di gente che non conosco e che sinceramente nemmeno vorrei conoscere.

Quelli per i quali sono ancora a rischio credo siano solo i primi due, anche se nella vita non si sa mai, magari un giorno mi candido in politica. *Le disgrazie e le gioie sono sempre dietro l'angolo.*

Questa è una frase che mi diceva il mio fisioterapista l'anno scorso, quando mi faceva riabilitazione. Esattamente il 10 agosto, a Riccione, sono caduto con la Vespa e mi sono rotto il perone. Tutta la gamba sinistra ingessata per un mese.

È stata una grande esperienza, giuro. Ho imparato un sacco di cose, anzi: ho *dovuto* imparare un sacco di cose. Perché i casi sono due. O scleri perché pensi che una delle più grandi sfighe del mondo è rompersi una gamba al mare il 10 di agosto (e, come se non bastasse, io che sono terrorizzato dagli aghi dovevo farmi da solo tre punture in pancia al giorno) e con ancora 32 puntate da fare del programma radiofonico per il quale ero lì. Oppure ti chiedi: «Cosa posso imparare da questa situazione?».

Mi sono detto: «Se tengo presente che sono poco paziente, che ho difficoltà a rimanere fermo in un posto per più di dieci minuti, se mi capita di dimenticarmi delle persone che mi circondano e che esistono quelle che soffrono, che è tanto che non leggo, non scrivo, non rifletto e non prego, credo che rompermi una gamba sia la soluzione ai miei problemi».

Nico, forse ci faccio la figura del buono e saggio a tutti i costi, ma è stato così veramente. Avevo bisogno di uno STOP, ero entrato in quel vortice di velocità da cui si esce solo stonati o con la nausea.

Semplicemente, dopo quell'esperienza ero diverso: era solo una gamba rotta, ma per me ha significato molto.

Quanto dolore c'è nella vita, è vero, ma quanta vita c'è nel dolore?

La mia gamba ne era piena. Era gonfia di vita, pulsava, respirava, mi creava problemi, mi faceva tenerezza, la amavo e la odiavo, la proteggevo e avrei voluto abbandonarla.

Certo ne parlo in questo modo perché era un dolore comunque sopportabile, ma è come se quel dolore mi avesse purificato.

Anche quando si soffre per amore, in quella morte, in quel dolore, io c'ho trovato un sacco di vita. Non sai dove sbattere la testa, non ci sono medicine per farti sentire meglio. C'è solo il tempo, quello biologico, solo lui può curarti. Ma sembra non passare mai e come dice Troisi in un suo film a un amico che gli dice che non ci si ammazza per amore, perché il tempo sistema tutto: «Allora io m'ammazzo per impazienza».

Tempo fa, dopo il programma in radio, sono andato a mangiare con una ragazza che lavora in una casa discografica. Non la conoscevo, ma io ero solo e lei anche. Doveva aspettare un cantante per un'intervista nel programma di musica italiana.

Era proprio carina, anzi era proprio bella, ma non di quelle che fanno della propria bellezza un'arma. Una bellezza non appariscente, di quelle che si notano dopo un po', al secondo sguardo. Insomma non era di quelle che quando vai fuori a mangiare con loro a un certo punto devono andare in bagno, ma lo fanno solo perché amano fare la passerella. Andare in bagno passando tra i tavoli diventa il loro palco. Lei no. Secondo me lei era di quelle che hanno la casa piena di candele, incensi, stoffe orientali e mezzelune. E amano i gatti.

È fidanzata ma non innamorata. E ce ne sono tante ho scoperto. Sono le sognatrici, quelle che hanno aspettato il principe azzurro e non vedendolo arrivare, hanno cominciato a pensare di essersi sbagliate. Hanno iniziato a pensare che il loro principe azzurro è caduto da cavallo e adesso è nel reparto rianimazione del civile.

Prese dalla paura di rimanere sole e dalla voglia di una carezza, si sono messe con il cavallo bianco. Le riconosci subito quando le incontri, sono quelle che vedi ogni tanto guardare ancora fuori dalla finestra.

È indubbiamente più faticoso voler stare con qualcuno per non rimanere sole e impegnarsi a essere come vere fidanzate, che esserlo in modo naturale.

Comunque, stare con il cavallo comporta anche piccoli vantaggi. Non c'è quell'impegno di essere sempre all'altezza, di dover indossare l'abito lungo. Sì, ok, ogni tanto il cavallo per strada caga, ma basta guardare avanti che non la pesti.

Niente progetti comunque tra me e lei, niente numeri di telefono, ha detto che se dobbiamo rincontrarci ci rincontreremo. Dev'essere una di quelle che ha letto *La profezia di Celestino*, sai le storie sul destino, sul caso, sulle coincidenze? Dove inizia e finisce la nostra volontà e dove la nostra scelta?

Io credo di essere il pilota della mia vita, cerco di vivere la mia vita e il mio destino. Ascolto molto la voce che ho dentro e provo a seguirla, ma mi chiedo: «Quanto sono libero di scegliere? Quanto sono veramente io a decidere la rotta?».

Per esempio, a me piace leggere, e tu sai quanto i libri mi abbiano aiutato nella vita. Ma non ho scelto io che mi piacesse leggere, lo faccio e l'ho fatto perché mi piaceva. Quindi se sono così, se ho imparato certe cose, è sicuramente perché le ho lette, e perché leggere mi ha aiutato ad avere una mente più aperta, mi ha fatto venire voglia di viaggiare... Ma io che merito ho?

Sto dicendo *per me*, *per la mia vita*, non sto dicendo che chi legge sia migliore di chi non lo fa, parlo della mia esperienza, delle mie emozioni.

Se tu ami ancora leggere sai di cosa sto parlando. Hai presente quelle volte che inizi un libro e ti cattura subito e non vedi l'ora di andare a casa a leggerlo? Magari dopo che nell'ultimo periodo quelli che avevi letto non erano proprio indimenticabili. O quando certe sere inizi a parlare di libri con qualcuno, e capisci che c'è un feeling pazzesco e nel raccontarti le sue letture preferite quello ti tira dentro, e tu impazzisci perché le librerie sono chiuse e vorresti andare subito a rifornirti.

Come ci sono le farmacie, dovrebbero esserci anche le librerie di turno. Per le crisi di astinenza o per gli incontri interessanti.

Ti sto parlando di persone che non dicono: «Io amo leggere... hai mai letto *Siddharta*?».

Non che *Siddharta* non sia un bel libro, ma hai capito cosa intendo?

Se incontrassi invece una che mi dice: «Mi è piaciuto molto *Il profumo* di Süskind», potrei portarla all'IKEA immediatamente e insieme scegliere i mobili per la nostra convivenza.

A proposito di IKEA. Ci sono andato settimana scorsa, e ho notato per l'ennesima volta che quando compro mille cagatine inutili, nel toglierle dalla borsa quando sono a casa, mi sembra sempre che manchi qualcosa. Non so perché ma quando sono alla cassa credo sempre di aver fatto un affare, a casa mai.

Tornando invece al discorso della lettura, devo dirti che spesso con le donne ho lo stesso rapporto e approccio che ho con i libri.

Un sacco di volte sono stato catturato dal titolo e dalla copertina. Un sacco di volte leggendo un libro, ho saltato la prefazione e sono andato subito al sodo. Un sacco di volte quando leggendo un libro ho capito che non mi piaceva molto, prima di lasciarlo ho letto ancora qualche pagina nella speranza che mi prendesse più avanti e che fosse solo l'inizio a non ingranare.

Certi libri che ho letto alla fine hanno parti sottolineate, parti che mi hanno colpito particolarmente, altri invece no. Per altri il ricordo è più legato al tempo che al libro, cioè mi ricordo più del periodo in cui li ho letti che del libro stesso.

Con le donne è uguale.

# I veri eroi

Sono veramente curioso di sapere come stai messo. Magari hai sempre le solite paranoie e non cambierai mai, magari invece sei riuscito a trovare quell'equilibrio che cercavi in quelle notti passate a riflettere, pensare, scrivere e sospirare. Quelle notti, indelebili nella nostra memoria, ci hanno unito per sempre.

Ma oggi è il tuo compleanno e non vorrei essere troppo serio. Ti ricordi quella volta che con Paolo fantasticavo sull'organizzare un'orgia?

C'era tutto: casa, musica, canne, un gruppetto di amici, mancavano solo le donne. Come sempre.

Avevamo fatto anche un'ipotetica lista, volevamo: la cassiera del bar sotto casa sua, la sorella di Cristian, che ai tempi era una gnocca pazzesca, la Betta, per via di quelle pompe che solo lei sapeva fare. Ci metteva così tanta passione che a momenti rischiavi la meningite. Una volta mi aveva anche detto: «Ma perché io e te non facciamo mai l'amore?». Io non avevo risposto e lei ha continuato a fare quello che stava facendo.

A volte è il nostro talento che ci penalizza.

Avevamo pensato anche alla mamma di quel mio

compagno di squadra ricco, Giulio, che a seghe me la sono trombata un sacco di volte.

Poi ce n'erano altre ma ora non me le ricordo. Mi ricordo però che alla fine eravamo tutti d'accordo: ci saremmo buttati tutti sulla sorella di Cristian. Non siamo mai riusciti a organizzarla, peggio per loro... o no?

Adesso la sorella di Cristian è abbastanza brutta: l'ho vista un po' di tempo fa, non abitano più qui vicino. Da quando è morto il padre sono andati a vivere in provincia vicino ai nonni. Quando l'ho vista pensavo avesse avuto un incidente perché aveva il naso schiacciato, invece mi hanno detto che si è consumata la cartilagine a forza di pippare cocaina.

*A forza di pippare cocaina*: vuol dire che non è successo da un momento all'altro, ma gradualmente. Possibile che nessuno a un certo punto guardandola non abbia visto che c'era qualcosa di strano?

Fai un incidente, ti rompi il naso, ok è successo. Punto. Ma il naso che va sempre più vicino alla bocca a piccoli passi giorno dopo giorno come lo giustifichi? Verrà il giorno dell'illuminazione che ti svegli e vedi, o no? Boh.

Il mio rapporto con le droghe fortunatamente è molto sereno. Mi faccio sempre le canne, ho provato l'ecstasy una volta a Londra e la cocaina una volta a Cuba e una a Rimini, ma non sono decisamente le mie droghe. Non mi piace il gesto, non mi piace la ritualità, l'effetto che fa, né la gente che ci gira attorno. Quelle droghe imbruttiscono. Quando dico che non ne prendo non mi crede nessuno. Sarà per la mia faccia, sarà perché sono un DJ, ma quando dico che non faccio uso di droghe – a parte le canne – mi guardano tutti con un'espressione del cazzo, come se volessi fare il furbo. Anche se quelli che non mi credono, di solito, sono quelli che ne fanno uso. Quando poi aggiungo che sono praticamente astemio, ridono, così io ci rimango male, torno a casa, mi faccio una riga di coca, un gin tonic e dimentico. Scherzo.

E tu? Sempre solo canne?

Il mio più grande compagno di canne è sempre stato Fabrizio. Cavolo, mi chiedo chissà quante ce ne saremo fatte insieme. Concerti. Cinema. Serate in casa. Viaggi. *Come aperitivo prima di mangiare* (tanto per citare Vasco Rossi), dopo mangiato, prima di andare a dormire, allo stadio, alle feste, in piscina, ecc. ecc.

C'è stato un periodo che il pomeriggio mi facevo le canne in casa e poi guardavo un programma su una televisione locale dove suonavano solamente orchestre di liscio. Quella musica, quei testi pieni di parole tipo *usignolo, amore mio, campagna, fare l'amore,* quei vestiti, quei sorrisi, quelle pettinature piene di ciuffi, code e lacca, quelle cantanti con minigonne di paillette da cui uscivano due gambe spesso più simili a due cotechini, mi spingevano sotto effetto *stono* in un viaggione dentro un mondo senza aggettivi. Non si può trovare un aggettivo per descriverlo, non è trash, non è chic, non è bello, non è brutto. Quella cosa lì è quella cosa lì. Bisogna passarci per capire. Io mi facevo una canna e poi ridevo, ridevo, ridevo. Da solo. Poi mi sentivo presuntuoso e mi chiedevo se non fossero tutti gli altri a dover ridere di me. Mi sentivo come quella storia famosa della marmotta e del fotografo. Il fotografo che studia il comportamento delle marmotte pensa che sono animali un po' stupidi che non fanno niente tutto il giorno. La marmotta pensa che il fotografo è un coglione che resta tutto il giorno a guardare quello che fa lei.

Altre volte mi guardavo in videocassetta *Microcosmos*, oppure *Baraka, o Koyaanisqatsi*.

*Microcosmos*, dopo averlo visto, mi faceva camminare in punta di piedi per ore, con *Baraka* e *Koyaanisqatsi* era come viaggiare in macchina con la testa fuori dal finestrino. Mi alzavo dal divano spettinato.

Un'altra situazione che mi piaceva sotto effetto *stono* era tornare a casa e sedermi a tavola con i miei genitori. Mentre fai le scale ti passi le mani sulla faccia e cerchi di fare delle espressioni normali ma l'unica che ti esce è quella del pescatore Sampei. Ti siedi a mangiare e c'è la paura che ti scoprano, ti senti osservato, se ti fanno una domanda vai nel pallone e non riesci a fare un discorso sensato.

Forse l'unico danno che mi hanno causato le canne è che mi hanno precluso possibili amicizie future. Nel senso che spesso quando qualcuno mi dava il suo biglietto da visita io ci facevo i filtrini. Iniziavo strappando il cartoncino dove non c'era scritto niente, poi ancora un pezzo, e infine decapitavo il nome delle mie recenti conoscenze. Anche se il massimo per i filtrini rimangono sempre i biglietti del tram o del treno.

C'erano anche quelle sere in cui eravamo spinti dall'istinto di autodistruzione, in cui bisognava esagerare. Bisognava andare fino in fondo: ci facevamo delle canne con doppie o triple cartine, o col carciofo, la mela, o il chiloom. Ci facevamo delle canne talmente grosse che alla fine ci spegnevano loro.

Sognavamo il teletrasporto per tornare a casa, sognavamo di schiacciare un pulsante ed essere già a letto. Anzi già nel frigo, visto che ci assaliva la fame chimica e prima di andare a dormire si rapinava il frigorifero. Dico rapinare perché la velocità e la voracità con cui si arraffavano le cose era pari a quella di una rapina. Cracker, formaggio, biscotti, Nutella, dolce e salato e dopo un paio di rutti e una grattatina al culo si andava a dormire. E durante la notte, nello stomaco il cibo faceva un torneo di calcetto. Il *mundialito* della digestione.

Mi svegliavo la mattina e finché non mi lavavo i denti e bevevo il caffè, quando parlavo avevo un fiatello che dalla bocca mi uscivano le lettere visibili come in un fumetto. Avrei potuto spostare i mobili senza toccarli, solamente soffiando. Il primo morso della colazione sia che fosse brioche, biscotti o frutta sapeva di alito.

C'erano serate a canne dove avevamo solo uno scopo: *farsi dimmale*. Istinto sessuale e istinto distruttivo, come sosteneva Freud.

Sigmund Freud, un mix tra la sorella di Cristian (cocainomane) e Mario (maschilista), ma non me ne intendo molto di psicanalisi. Soprattutto odio chi ne sa poco più di me ma si atteggia a psicanalista consumato, come quegli studenti di psicologia che a ogni cosa o gesto che fai, ti dicono e ti spiegano perché l'hai fatto.

Complesso d'Edipo, disturbi ossessivi o compulsivi, paura dell'abbandono, ma quello che più amo è: «Si comporta così perché è un insicuro».

Chi non lo è alzi la mano.

Come dice il mio salumiere: «Il nostro unico scopo è quello di riprodurci, quindi di scopare, non vedi che tutto è una metafora per ricordarcelo? Impazziamo per il calcio perché la porta è un'enorme vagina da penetrare (il portiere è il clitoride). Il biliardo: palle, buche e stecche, il golf, il basket, tutto è lì per ricordarcelo, il cono e le palline gelato, la vite e il bullone, lo spremiagrumi e l'arancia, la chiave e la toppa, il treno e la galleria come nel film *Una pallottola spuntata*.

«Un giorno un frocio mi ha chiesto un bel salame, io ho iniziato ad affettarglielo e lui mi ha detto: "Scusi ma per chi mi ha preso, per un salvadanaio... ah!... ah!".»

Il mio salumiere Giacomo è un personaggio fantastico, peserà cento chili e sarà alto uno e settanta. Il classico paffutello dalle guance rosse, supergenuino. Quello che quando lo guardi ti chiedi come fa a scopare.

Alla cassa c'è sua moglie, piccolina e grassottella. Loro due sono sempre di buon umore. Lui fa le battute e lei sorride in un modo che si capisce che le ha già sentite tutte. (Questa del salvadanaio l'ho già sentita mille volte anch'io.) A volte mi fermo a parlare con loro, si parla sempre di sesso, una comicità basata sui doppi sensi, tipo quella da caserma.

Il problema è che io non sempre ho voglia di ridere e chiacchierare, ma del resto è colpa mia se li ho abituati così. Quindi mi succede che se sono in uno dei miei giorni no e mi serve qualcosa, vado in un altro negozio cercando di non farmi vedere. A volte però mi vengono i sensi di colpa e allora chiamo a raccolta tutte le mie forze, entro nel negozio e fingo di essere di fretta.

Giacomone, come lo chiamano i suoi clienti, ha quella saggezza popolare che mi piace, è una persona di cuore che lavora con una dignità che a molti della nostra generazione manca. O forse è solo per l'età.

Un giorno una signora scherzando gli ha detto: «Giacomone si metta a dieta che gli anni passano e il cuore si stanca».

La sua risposta è stata: «Quelli che vanno in palestra e si mettono a dieta fanno una vita da malati per morire sani. Io non bevo, non fumo, il sesso lo faccio ogni cambio di stagione. Lasciatemi mangiare, se devo morire almeno morirò pieno».

Un giorno l'ho incontrato dietro il negozio che si affaccia sul cortile dove abito. Era seduto su delle casse di legno, indossava il grembiule, ma aveva il cappellino in mano. Senza il cappellino sembrava diverso, come quando vedi qualcuno che di solito porta gli occhiali, senza. Sembrava gli mancasse qualcosa di più di un semplice cappello, come se gli mancasse un arto.

Comunque, per la prima volta ho capito che era un uomo, non era solo il mio salumiere. So che può sembrarti stupido ciò che ti sto scrivendo, ma a volte sono talmente abituato a vedere qualcuno sul lavoro che lo identifico con quello che fa. Il meccanico non è il meccanico, ma un uomo che fa il meccanico, il panettiere non è un panettiere, ma un uomo che fa il panettiere, o no?

È l'attore che crea l'azione o l'azione che crea l'attore? Boh!

Giacomone era seduto su delle casse di legno, aveva una faccia triste; non so cosa gli fosse successo, non gliel'ho chiesto. Mi ha guardato con gli occhi lucidi, mi ha sorriso, e per la prima volta non mi ha detto nemmeno una parola. Era stanco, decisamente stanco.

Molti di noi vivono circondati dalle proprie balle, dalle bugie che continuiamo a raccontarci. Diventano come bolle di sapone che ci volteggiano intorno. Quando ci si fermano davanti agli occhi, falsano qualcosa, distorcono l'espressione. Ma noi viviamo facendo finta di niente nella speranza che se ne vadano via da sole. Ci sono giorni però che le bolle diventano di marmo e non si può più fingere.

Probabilmente quel mondo che Giacomone nascondeva dietro alle sue allegre barzellette quotidiane era venuto a chiedere il conto. Era venuto a bussare alla cassa.

Credo che avrebbe voluto sparire, nascondersi in un altro cortile come faccio io quando cambio bottega, ma lui non poteva, il negozio è suo.

La portinaia mi ha detto che ha problemi economici. Le grandi distribuzioni, come i supermercati e i centri commerciali, hanno creato qualche difficoltà a molte famiglie di commercianti.

Anch'io, che sono un suo amico, spesso cedo alla comodità, non lo nego. Se pensi che tanta gente ha fatto sacrifici tutta una vita e alla fine il suo impegno viene dimenticato per il 3x2, secondo me ti viene un po' di crisi, o no?

I veri eroi sono questi. I veri eroi sono quelli che ogni giorno si alzano dal letto e affrontano la vita anche se gli hanno rubato i sogni e il futuro. Quelli che alzano la saracinesca di un bar o di un'officina, che vanno in un ufficio, in una fabbrica. Che non lottano per la gloria o per la fama, ma per la sopravvivenza. Sono coraggiosi. Gli eroi veri non stanno a cavallo.

A proposito, ho un amico che si è comprato una casetta in provincia, vive lì con la moglie e due bambini. Sembrano la famiglia del Mulino Bianco, con la macchina Station Wagon. La domenica vanno in bicicletta: lui con la femminuccia nel seggiolino e lei con il maschietto. Ti ho fatto un bel quadretto?

Poco distante da casa sua, hanno costruito un aeroporto di 240mila metri quadrati di superficie scalo, 42 porte di imbarco, 186 banchi di registrazione, aerei che partono e arrivano a tutte le ore. I bambini non dormono più e piangono in continuazione. I genitori non dormono più e piangono come i bambini. A forza di dire che la notte arriva il lupo nero, cazzo, stavolta è arrivato veramente, si chiama *Malpensa 2000*.

Buon viaggio.

# I genitori

1. La doccia.
2. L'aria fresca che entra dalla finestra in un pomeriggio d'estate e ti accarezza il corpo un po' sudato dopo aver fatto l'amore.
3. La musica.
4. Il mare.
5. Bere l'acqua fresca.
6. Vedere come va a finire.
7. Il tramonto.
8. Il gelato.
9. Il sesso.
10. Il sesso col gelato.

Questi sono dieci dei sessantatré motivi per i quali valga la pena vivere che avevo scritto qualche anno fa su un mio quaderno. Non sono scritti in ordine di importanza, ma questo non è determinante. Sessantatré motivi per cui valga la pena vivere, tra cui la famiglia, gli amici ecc. sono tanti o sono pochi?

Mi chiedo un sacco di cose. Ma in fondo lo sappiamo tutti, anche se a volte facciamo finta di niente, che c'è un'unica domanda che uno dovrebbe porsi nella vita. Una sola che veramente conta, un'unica domanda alla quale bisognerebbe veramente trovare una risposta, l'unica che può aiutarci a risolvere ogni problema, ed è...

No dài, lasciamo stare, lasciamo perdere. Facciamo finta che non abbia scritto niente.

Parliamo d'altro. Tanto hai già capito.

Io sono sempre più confuso. Passo da un argomento all'altro, come nella vita. Anche in questa lettera avrei bisogno di un po' di ordine, un po' di disciplina. Il problema è che non ho mai avuto un padre e una madre autoritari: mi hanno sempre lasciato libero di esprimermi, libero di dire la mia. Insomma, i miei mi hanno sempre fatto sbagliare da solo.

Ci sono diversi modi per educare un figlio e sono tutti sbagliati perché la crescita e l'educazione di una persona sono legate a un'infinità di delicatissimi equilibri.

Tu ce l'hai una famiglia? Intendo una famiglia dove tu sei il padre?

Pur non avendo nemmeno una fidanzata, pur non avendo mai amato una donna veramente, pur capendo che a parte qualche colpo di scena (o di fulmine), quel momento dovrebbe essere per me ancora lontano, a volte ci penso e cerco di vedermi nelle vesti di padre: mi vedo che spiego con calma le cose a mio figlio, che dialogo con attenzione e ancora prima mi vedo davanti al lettino quando è ancora piccolo che lo guardo dormire. Non vedo l'ora di rimanere a guardare mio figlio dormire, non vedo l'ora di baciare i buchini che avrà al posto delle nocche sulle mani. Non vedo l'ora e spero di non vederla ancora per un po', ma a volte comunque questi pensieri li faccio e mi chiedo anche se sarò un buon padre. Credo sia importante comunicare in modo corretto con un figlio, ma qual è il modo corretto...

Ti racconto una storia, non c'entra niente ma mi è venuta in mente adesso. Nel palazzo dove vive mia zia c'è una ragazza che ha una bambina. È una ragazza madre e mia zia la aiuta tenendole la bimba ogni tanto. È lei che mi ha raccontato questa storia. Nel palazzo vive anche un nano, e un giorno la ragazza, la bambina e il nano si incontrano in ascensore. La mamma ha paura che la figlia dica qualcosa, la bambina fissa il nano alto quasi come lei e poi dice: «Come sei basso!». La mamma sbianca dall'imbarazzo e appena entra in casa spiega alla bambina che non deve dirlo mai più perché il nano può offendersi.

Qualche tempo dopo la stessa situazione si ripete, la mamma ha già paura, e credo che anch'io sarei stato imbarazzato, comunque la bambina fissa nuovamente il nano e questa volta dice: «Come sei grande!».

Chi ha sbagliato?

Per paura, quando sarò padre cercherò un palazzo senza nani. Scherzo. Volevo dire senza ascensore.

Ma riecco la domanda da paraculo: cosa fa di un uomo un buon padre?

Come sempre io non ho una risposta.

I genitori migliori sono quelli che non hanno figli, come gli allenatori di calcio migliori sono quelli del lunedì al bar. I politici migliori guidano i taxi e il calciatore migliore è quello che non ha potuto farlo perché è stato operato al menisco da giovane.

Sull'isola Trobriand, nella Papua Nuova Guinea, i papà sono semplicemente amici dei loro figli, perché questi ricevono nome, patrimonio ed educazione dal fratello del padre, quindi dallo zio.

Chissà se funziona?

Una sera, quando ero piccolo, mi ricordo che con la mia famiglia e quella di Nicola siamo andati al luna-park. Prima di ritornare a casa siamo andati in una bancarella di pesci rossi, quelle dove devi tirare le palline nei vasetti, e se fai centro vinci un pesce.

Volevo assolutamente un pesce rosso.

Si poteva scegliere: o lo compravi o provavi a vincerlo. Mio padre mi disse: «lo compriamo?». Io risposi di no e decisi di giocare. La ragazza incassò i soldi e mi portò dieci palline colorate. Le mise in un cestino come quello che aveva mia sorella sulla bici Graziella e mi disse: «Buona fortuna».

Dieci tiri, avevo dieci tiri, dieci possibilità. Al quinto tiro non ce l'avevo ancora fatta, guardai nel cestino e quell'effetto scenico delle palline colorate era decisamente meno appariscente. Tirai la sesta, niente. Settima, macché. Ottava nemmeno a sparargli. Nona fuori di poco, decima e ultima bordo, bordo, bordo, fuori. Tutta la delusione del mondo. Non ce l'ho fatta. Niente da fare, le palline rimbalzavano sui bordi dei vasetti e poi cadevano fuori. Accidenti.

Ho capito poi con gli anni di chi era stata la colpa. Cazzo... non si dice *buona fortuna*. E lei lo sapeva, la sinta lo sapeva: era una imprenditrice e con il suo «buona fortuna» statisticamente dava via meno pesciolini.

Nemmeno Nicola ci riuscì.

Alla fine comunque suo padre glielo comprò, allungò un bel cinquemila e prese uno stupendo superpesce rosso al mio amico. Mio padre mi disse di no. In macchina mentre tornavamo a casa, Nicola seduto sul sedile dietro con me, si guardava il suo pesciolino e io lo invidiavo. Mentre mi ripetevo dentro: «Non è giusto, non è giusto, non è giusto» lui sembrava felice il doppio. Nicola godeva per il suo pesce e per il mio non-pesce.

Oggi che sono un ometto mi chiedo se mio padre – che quel giorno ho odiato con tutte le mie forze – abbia fatto bene oppure no.

Si può anche perdere. Lo avevo imparato. Credo sia sicuramente un caso se adesso Nicola è cocainomane.

Quella sera nelle mie preghiere chiesi a Dio perché avevo un padre così crudele e non uno come quello di Nicola. Mi ricordo per esempio che a scuola avevo dei compagni che mi dicevano: «Se mi promuovono mio padre mi compra la bicicletta. Se vengo promosso mio padre mi compra il motorino. Se sarò promosso mio padre mi comprerà un cane».

Io tornavo a casa e dicevo a mio padre: «Se mi promuovono cosa mi regali?».

E lui: «Se ti promuovono hai solamente fatto il tuo dovere. Niente di più».

Quelle sere nelle mie preghiere...

Poi magari un giorno così, senza motivo, senza una particolare occasione o ricorrenza, tornava a casa con una bicicletta nuova per me e mi diceva: «Regalo!».

Quelle sere nelle mie preghiere chiedevo a Dio di essere un bravo bambino e di non fare arrabbiare il mio papà che era speciale.

Con mio padre adesso ho un rapporto di una bellezza quasi commovente. Se ripenso alle nostre discussioni di quando ero adolescente... ora mi è tutto più chiaro, eravamo differenti e lo siamo ancora. Ma nessuno dei due ha più la necessità o la voglia di avere per forza ragione.

Le discussioni più divertenti erano quelle sul fatto che non volevo pagare le multe. Pur sapendo che le avrei pagate comunque di più, dopo, non riuscivo a fare diversamente. Era una specie di mania: dovevo ribellarmi. Mi sentivo un po' il *Braveheart* del codice della strada. Come Mel Gibson avrei portato in piazza la rivoluzione, piuttosto che pagare un divieto di sosta.

L'altra discussione che ormai era praticamente un rituale nasceva nel periodo natalizio. Mio padre mi ripeteva tutti gli anni la stessa frase: «Vai a messa almeno a Natale».

Ma parliamo dei miei.

L'ultima volta che sono andato a casa li ho visti in modo diverso, mi sono accorto che stanno invecchiando. Ho sempre dei sensi di colpa nei loro confronti, colpa di tornare a trovarli troppo raramente, colpa di non essere in grado di esprimere quanto li amo, colpa perché dopo un po' che sono da loro, mi viene voglia di andarmene e tornare a *casa mia*. Non prima, però, di aver fatto il bagno. A casa dei miei c'è la vasca, a casa mia solo la doccia. Ma faccio sempre il bagno caldo. Di quelli che ogni cinque minuti fai scendere ancora un po' di acqua bollente, fai il richiamino, l'aggiuntina, spostando la coscia altrimenti ti scotti.

Vedere i miei genitori, adesso che non vivo più con loro, è una cosa strana, diversa da quando ci vivevo insieme. Li apprezzo e li capisco di più e delle tante nostre discussioni, più passa il tempo e più mi accorgo che avevano ragione. O no?

Il rapporto con mio padre è diverso da quello con mia madre, perché è un rapporto nuovo, ritrovato: non sembra che si sia evoluto ma improvvisamente è cambiato. Mio padre ora, più passa il tempo, più diventa un figlio. Ho l'impressione che più divento grande e più il rapporto diventi costruttivo e a volte provo la sensazione che ci sia qualcosa di divino.

Sono esagerato?

Chissà il rapporto con tuo padre com'è, o magari sto facendo qualche gaffe, magari di questi cinque anni non so qualcosa di spiacevole, non sarebbe la prima volta, è un argomento su cui sono scivolato spesso.

«Che lavoro fa tuo padre?»

«Mio padre è morto.»

Una delle poche volte nella vita in cui vorresti avere un badile o una pala in mano e scavare, scavare, scavare, fino a uscire dall'altra parte.

Il rapporto con mia madre è sempre stato differente, con lei non ho mai avuto grandi scontri. Ora mi accorgo che è successo anche per il fatto che lei mi ha sempre assecondato. Vero mamma? Con lei è sempre stato un grande amore: il classico complesso di Edipo non risolto (come direbbe uno studente di psicologia), un rapporto fatto di tante piccole cose, gesti, attenzioni. Un amore quasi per niente fisico, pochi abbracci e baci, un amore non ostentato, credo che non ci siamo detti nemmeno una volta «Ti voglio bene», è sempre stato tutto delicatamente ovvio e silenzioso. Forse perché lei era già sposata.

Mia madre era pazzamente innamorata di suo padre, quindi credo abbia avuto un amore più moderato verso il mio, e nuovamente maggiore per suo figlio... io. (Sto diventando come quello studente di psicologia?)

Una notte quando ero piccolo, sono stato male e sono andato in bagno a vomitare. Ero terrorizzato dal vomitare, ogni volta credevo di morire soffocato, era un'esplosione di violenza allucinante per me. Comunque, mentre vomitavo, mia madre mi sente, si alza dal letto, viene in bagno e mi mette una mano sulla fronte.

«Non preoccuparti, hai solo preso un po' di freddo.»

Non ho mai provato nella mia vita una sensazione maggiore di sicurezza di quella mano sulla fronte. E quante volte nella vita ne avrei avuto bisogno, e invece a volte stai vomitando e arriva qualcuno che ti mette una mano sulla testa e ti spinge più giù nel cesso, quel qualcuno che di solito è anche il motivo per cui stai vomitando. «Preoccupati! Non è solo freddo.»

La mia natura, il mio forte senso della libertà, quello che per esempio mi ha fatto scappare dall'asilo a quattro anni, che mi ha fatto andare oltre la gelateria sull'altro marciapiede con la bicicletta a cinque, sapendo benissimo che non potevo andare oltre la gelateria – me lo aveva vietato la mamma –, quel senso di libertà che mi ha fatto scappare di casa a otto e che mi ha fatto andare a vivere da solo molto presto, ogni tanto mi faceva essere cattivo con lei. Perché è così che poi mi sentivo: semplicemente cattivo nei confronti di mia madre.

Quando senti che il cordone ombelicale tira troppo, quando sembra che ti stia soffocando, allora per sopravvivere tiri calci e pugni senza sapere il male che fanno (o a volte proprio perché lo sai).

Ti ricordi Nico, quando dissi per la prima volta ai miei che volevo andare a vivere da solo?

Mia madre accusò molto il colpo, più di mio padre naturalmente, e aveva due modi, due tattiche per scoraggiarmi. La prima era la tattica del terrore, cioè parlare solo delle cose sconvenienti: «Guarda che costa vivere da solo, non potrai fare la vita che fai adesso, uscire tutte le sere, comprarti i vestiti; poi non è che trovi tutto pronto, devi cucinare, lavare... e chi ti lava i vestiti? Chi stira? Lascia stare. I soldi dell'affitto mettili via che ad andare a vivere da solo sei sempre in tempo».

Questo lo diceva con la faccia tirata, da dura, e lì in quel momento, mi inorgoglivo anch'io e me ne sarei andato subito, per vincere e dimostrarle che stava recitando. Lì mi sentivo veramente cattivo, lì volevo ferirla, smascherarla senza pietà. Chissà cosa ci spinge a volte a voler ferire veramente e senza nessun riguardo chi amiamo?

L'altro modo invece era quello in cui metteva da parte l'orgoglio da animale ferito e mi diceva: «Perché vuoi andare a vivere da solo? Cosa c'è che non va qui, sbagliamo forse in qualcosa? Non lo so, dimmelo tu. Fai quello che vuoi, vai e torni come ti pare e piace, nessuno ti dice mai niente. Cosa ti è venuto in mente adesso?». Tutto questo lo diceva con gli occhi lucidi da supplica, e io mi sentivo una merda, non semplicemente cattivo, ma crudele e insensibile.

Adesso ormai sono anni che vivo da solo e tutto si è sistemato, quando torno a trovarli ogni tanto le porto qualcosa da lavare, oppure lei mi cucina o mi dà qualcosa da portare via: sugo o pesto o caffè o olio e siamo tutti e due contenti, lei fa ancora la mamma e io il figlio.

Il nostro cordone ombelicale è ancora attivo, ha il profumo di cibo e panni puliti. Non è più rosso vivo come prima ma è un colore pastello, più tenue ed equilibrato.

Comunque tornando al rapporto con i miei genitori, devo dire che sta diventando sempre più simile a quello che avevo con i nonni ai quali ero molto legato. Soprattutto quelli materni, non so se perché mia madre aveva un rapporto migliore con i suoi genitori che non mio padre con i propri, ma erano decisamente più le volte che si andava dai nonni materni che da quelli paterni.

Io addirittura passavo i tre mesi delle vacanze estive con loro, e devo dire che ho dei ricordi bellissimi. Quando penso a loro mi spiace solo che ora non ci sono più, perché mi piacerebbe parlarci adesso che sono più grande.

Ci sono cose che da piccolo non capisci e poi un giorno così, senza un motivo apparente, ti tornano in mente e le vedi chiare, per la prima volta ti appaiono sotto un'altra luce e ti senti come illuminato. Come quando vai a comprare un paio di scarpe nuove e decidi di tenerle su subito. Decidi di uscire dal negozio indossandole, allora la commessa mette le tue scarpe vecchie nella scatola e solo lì, in quel momento, vedendole, capisci quanto erano veramente vecchie e brutte. Illuminazione. Semplice illuminazione.

A volte sei in un posto e a un certo punto ti si apre l'aria davanti come uno squarcio in un lenzuolo e capisci, e ti dici: «Che cazzo ci faccio qui?».

«Che cavolo sto facendo?»

Quando penso ai miei nonni capisco tante cose che prima non potevo nemmeno immaginare. Quando cresci e cominci a capire un po' i rapporti tra le persone, allora ti diventa chiaro perché ti dicevano certe cose, perché si comportavano in un certo modo. Capisci i loro silenzi...

Una notte d'estate mentre ero lì da loro è arrivato un fortissimo temporale e dal soffitto cadeva acqua, erano mesi che bisognava riparare il tetto e mi ricordo che io, mia sorella, il nonno·e la nonna abbiamo messo le pentole, i secchi, i vasi, il boccale e tutti i recipienti possibili in giro per casa.

Tra quelle goccioline di pioggia, tra i vari rumori di... *plin... plin... plin...* non c'erano adulti: eravamo quattro bambini e si rideva tutti insieme. Che bello. Dove sono andati adesso. Voglio ridere di queste cose ancora. Mio nonno e mia nonna mettevano le mani nelle pentole con l'acqua e poi schizzavano in faccia me e mia sorella e ridevano.

Immaturi, immaturi. Immaturi?

Un ricordo di mio nonno che spesso mi torna in mente è legato alla sua morte. Mio nonno era uno di quelli che non voleva andare in ospedale, uno di quelli che pensava che se fosse entrato in un ospedale ne sarebbe uscito solo morto, e diceva sempre: «Se devo morire, voglio godermi gli ultimi giorni di vita in casa mia».

Quando stava veramente male l'hanno ricoverato e mi ricordo che quando sono andato a trovarlo aveva mille tubicini attaccati: flebo, sondino ecc. ecc. Mi ricordo che mi ha detto di avvicinarmi e mi ha dato un bacio sulla fronte. Io ero piccolo, non capivo, per me era uno dei tanti baci che non volevo mai. Da piccolo li odiavo. Non volevo mai essere baciato. Ma quel bacio era diverso, e lui lo sapeva. Sapeva che stava per morire e ha voluto darmi l'ultimo bacio.

Quando poi è morto io ero dispiaciuto, ma è sempre stato un dolore relativo, nel senso che sarei comunque andato a giocare a calcio all'oratorio senza problemi. A quel tempo non pensavo certo a quanto dev'essere tragica per un uomo la consapevolezza di morire, quanto dev'essere profondo il dolore nel sapere che è tutto finito.

TUTTO FINITO.

Eppure quel bacio era sotto gli occhi di tutti, ma io non lo sapevo leggere. Quel bacio silenzioso ha fatto sentire lo schiocco vent'anni dopo.

Mio nonno è sempre stato una persona molto dignitosa e lo è rimasto fino in fondo. Il suo modo di vivere – ora che sono grande e lo capisco meglio – è un grande insegnamento. Le estati passate dai miei nonni sono state una grande scuola. Avevo un lettino in fondo ai piedi del loro letto vicino al cassettone dove c'erano appoggiate un sacco di medicine. Quel cassettone da dove io e mia sorella rubavamo la Citrosodina. Era un effervescente. Ci scoppiettava in bocca, che ci potevamo fare? Eravamo nel fottutissimo tunnel della *Citro*...

Quando andavo a dormire c'era tutto un rituale, non è come adesso che ci vado quando sono stanco. Dai nonni si andava a letto a una certa ora tutte le sere, anche se a loro bastava farli ridere, o guardarli con una faccia dolce: chiedere ancora dieci minuti era uno scherzo da ragazzi. Si scioglievano come un cono gelato che hai comprato a qualcuno.

A proposito, perché quando compri un gelato per qualcun altro si scioglie più velocemente e quando glielo dai ti gocciola dai gomiti?

Vabbè non è importante, ti stavo parlando dei miei nonni e del rituale per andare a dormire. Prima di tutto: bagno tutte le sere, effettivamente a quell'età mi sporcavo e sudavo molto, ma mi lavavo volentieri perché adoravo il borotalco, infatti bagnetto veloce e poi chili e chili di polvere bianca, ero lo *Scarface* del borotalco.

Poi pigiama, che tenevo sotto il cuscino, e preghiere, in ginocchio al lato del letto. Infine bacio, anche se io non lo volevo quasi mai – soprattutto da mia nonna perché pungeva più di mio nonno, per via di quella barbettina bianca. Più che per i baci pungenti, il ricordo più fastidioso che ho di mia nonna è quando mi voleva pulire la faccia leccandosi il pollice per poi sfregarmelo sulle guance, che mi rimaneva il suo odore di saliva addosso. Oppure leccava il fazzoletto che teneva nella manica del vestito come un'arma segreta.

Mia nonna, che da grande avevo soprannominato David Bowie perché quando andava dalla sua amica parrucchiera a farsi la tinta tornava con i capelli blu o viola. Era troppo avanti, mia nonna...

Una delle cose più strane che facevano i nonni era quella di darmi i soldi di nascosto l'uno dall'altra. Prima mi davano i soldi insieme, così, alla luce del giorno, poi senza farsi vedere, di nascosto, mia nonna mi metteva velocemente in mano cinquemila lire tutte arrotolate e mi diceva: «Non dire niente al nonno», il quale faceva la stessa scena appena rimanevamo io e lui da soli.

Russavano Nico, tutti e due. Anzi, mia nonna, non solo pungeva più di mio nonno, ma russava anche di più... che donna, che nonna!

Una notte, mi ricordo, c'era il temporale. Nel letto sentivo la pioggia, i tuoni, le macchine passare, i nonni russare e ogni tanto la voce di chi per ripararsi dall'acqua si fermava vicino alla finestra, dove c'era un piccolo portichetto. A un certo punto ha smesso tutto: tuoni, lampi, acqua, macchine, tutto. Solo silenzio. Anche i miei nonni non russavano più, li sentivo solo respirare e ogni tanto sentivo un rumore di lenzuola. Le lenzuola di mia nonna hanno sempre fatto più rumore di qualsiasi lenzuola abbia mai incontrato nella vita, forse perché erano più spesse e resistenti o forse semplicemente perché non usava l'ammorbidente.

Ma le lenzuola *si incontrano* nella vita? Boh.

In quel momento, in quel silenzio, in quella luce soffusa che entrava dalla finestra, ho provato una strana sensazione, un'emozione diversa da tutte.

La mano sulla fronte di mia madre quando vomitavo è unica, ma è un senso di sicurezza, di amore: riesco a decodificarla. Questa invece l'ho riprovata anche altre volte ma non saprei interpretarla, descriverla, paragonarla: è lì, sospesa nell'aria.

È la stessa sensazione che ho riprovato, per esempio, certi pomeriggi, quando andavo a letto e sentivo mia madre sistemare silenziosamente la cucina. Quei suoni di posate, di acqua del rubinetto, di bicchieri appoggiati nel lavandino, di sedie spostate, di cassetti chiusi piano, mi facevano esplodere il cuore. Rimanevo in silenzio ad ascoltare e ne ero accarezzato.

In quel momento ero talmente legato alla vita che pensavo mi sarebbe dispiaciuto morire. È strano ma ci sono momenti in cui sento che mi spiacerebbe di più, se dovesse accadere.

Sentire dalla strada i rumori della televisione o i rumori di chi sta apparecchiando la tavola mentre torni a casa nelle sere d'estate è un'altra cosa che mi dà questa sensazione. È un'emozione inspiegabile, che sembra quasi malinconia (ma è più simile a una felicità compressa), e continuo a provarla ogni tanto anche adesso che sono più grande. Cambiano le situazioni ma la sensazione è sempre uguale, inconfondibile.

Qualche mese fa, per esempio, sono andato a casa di un mio amico in campagna. Non mi ricordo cosa stessero facendo gli altri, comunque dopo pranzo mi sono trovato a tavola da solo, fuori, sotto il portico. Sulla tovaglia non c'erano più i piatti, ma non era del tutto sparecchiata, era rimasto qualche bicchiere sporco di vino, qualche pezzo di pane, qualche tovagliolo arrotolato, la moka del caffè appoggiata su una tavoletta di legno, le tazzine e la zuccheriera. La tovaglia era quella tipica di campagna, bianca a quadretti rossi, fatta di plastica che ti si appiccica alle braccia. Io ero lì da solo, osservavo le mosche che mangiavano le briciole, o che si appoggiavano sulle tazzine, ci sparivano dentro e ritornavano fuori a piccoli scatti e sicuramente più sveglie – come farà a riaddormentarsi una mosca che beve il caffè? Chissà come è nervosa. Anche perché non ci sono le sigarette piccolissime per mosche e dopo un caffè cosa c'è meglio di una sigaretta?

Comunque, osservavo le mosche, il cielo, la campagna, il silenzio, sentivo una pace, un'armonia, insomma sentivo quell'emozione di cui ti sto parlando... be'... Nico, ho pianto. Non come un vitello, mi è solo scesa qualche lacrima silenziosa, ma ho pianto: era talmente forte questa volta...

Magari è perché la città è talmente stressante e rumorosa, che uno arriva in campagna e non è più abituato a sentirsi respirare, a sentirsi un'anima con un corpo e non un corpo con un'anima.

Effettivamente in quel periodo non ero molto riposato, pensa, venivo svegliato tutte le mattine dai muratori che stavano facendo dei lavori in un appartamento vicino al mio. Svegliarsi al suono di mille martellate, fischi e urla di muratori bergamaschi non è il massimo, ma Milano è un cantiere impazzito, e se non dovessi lavorarci non so se ci rimarrei.

Milano è troppo umana e poco naturale.

Pensa, quando c'è il sole, ce lo si dice.

# Vita da single

Il primo anno l'ho passato vivendo con un mio amico, ed era diverso dal vivere fuori casa completamente solo.

Anzitutto quando vivi solo non si sentono frasi in casa tipo «hai già messo il sale nell'acqua della pasta?». O tipo «cazzo mi hai mangiato l'unico yogurt che c'era».

(Veramente quando vivi solo non senti nessuna frase, perché sei solo, chi cazzo parla. Se fossi solo e sentissi delle frasi, fatti visitare bello!)

Vivere con qualcuno ti fa imparare un sacco di cose, per esempio io non pensavo che ci fosse diversità nel disordine, invece c'è. Io non tollero il disordine degli altri ma sopporto il mio. Non pensavo si potesse odiare qualcuno per i capelli trovati nella doccia, o perché non fa mai la spesa ma mangia sempre quello che compri tu.

A casa nostra la carta igienica la trovavi dappertutto meno che al cesso, era sul tavolo al posto dei tovaglioli di carta, sul comodino al posto dei fazzoletti e poi andavo in bagno e non c'era. E se me ne accorgevo troppo tardi, reagivo in due modi: se ero solo giravo per casa camminando come un pinguino per via dei pantaloni calati, se invece non lo ero, siccome mi vergognavo (anche se avrei voluto fare come quando ero piccolo. «Mammaaaaa... è finita la carta!», e rimanevo lì finché non spuntava dalla porta una mano con il rotolo), mi arrangiavo con un bidè.

La casa era talmente piccola che quando c'erano ospiti nessuno andava in bagno senza aprire il rubinetto dell'acqua, per nascondere i rumori. Per l'odore invece si prendeva tempo e si aspettava a uscire, soprattutto perché non c'era la finestra, ma solo una poverissima ventola che quando l'accendevi tremava il palazzo.

C'era anche chi usciva un attimo dal bagno e poi rientrava. Perché dopo un po' che sei in un posto il naso si abitua e non sente più. Così uscivano per risettarlo e poi rientravano per essere sicuri di non aver lasciato tracce.

Ma la vera paranoia di quando sei in un bagno, anche di un bar, è sentire che c'è già qualcuno fuori che aspetta.

Nonostante tutto, di quella casa ho un bellissimo ricordo. Era talmente piccola che se si invitavano più di tre persone, prima bisognava fare un corso di *Tetris* e bastava sbuffare per fare la polvere. Ma eravamo *wow, super wow!!!*

Per noi era un castello, anzi forse è meglio dire una fattoria... ia ia ohhh!

P.S. Se fai la lavatrice, stacca il boiler.

P.P.S. Non fare mai la spesa quando hai fame.

Dopo circa un anno sono andato a vivere solo solo e su tante cose mia madre aveva ragione. Sul tenere in ordine la casa, sul farsi da mangiare, lavare, pagare le bollette, ecc. ecc.

Ancora adesso i mestieri in casa li faccio io quando ho tempo, spesso capita nei week-end (non tutti decisamente). Non so perché, ma non riesco a chiedere a qualcuno che mi faccia le pulizie. È una cosa strana, ma ho un rapporto con la mia casa molto intimo, e farla pulire a un'altra persona mi sembra come chiedere a un altro di lavare la schiena della mia donna. Io mi sento l'anima di casa mia, come se la casa fosse un corpo più grande che mi avvolge.

Per quanto riguarda il cucinare devo dire che mi arrangio. A volte torno a casa la sera dopo aver lavorato tutto il giorno e mi mangio il tonno direttamente dalla scatoletta. Oppure mi verso una scatola di pelati in una scodella, la condisco e faccio la scarpetta con un po' di pane (quando ce l'ho). Sennò spesso, come con il tonno per esempio, vado di cracker, grissini o pancarrè confezionato, quello che andrebbe tostato – ma io non ho voglia di aspettare e lo mangio così... certi singhiozzi! Mi vengono gli occhi come i *Simpson*.

Insomma tutto ciò che si può mangiare senza dover usare i fornelli è ben accetto. (A parte quella volta che ho mangiato zuppa di verdure in scatola per più di una settimana. Poi ho smesso. Ho smesso perché ho dovuto montare le cinture di sicurezza della macchina sul water.)

A volte sono anche molto fantasioso nel cucinare. La mia fantasia è stimolata dal fatto che spesso non riesco a fare la spesa e quindi mi devo arrangiare inventandomi qualcosa con quello che ho. Apro il frigorifero e non c'è niente, a parte quel mezzo limone marroncino che ormai è lì da anni; una volta il frigo si è rotto e quando è venuto il tecnico a ripararlo mi ha detto che non si era rotto: si era suicidato. Forse per quella continua sensazione di vuoto che aveva dentro.

Non saranno delle grandi cene, ma devo dire che mangiare in piedi senza nemmeno andare a tavola magari appoggiandomi alla credenza, mi dà una grandissima sensazione di libertà. Ma soprattutto, non so perché, mi fa sentire un sacco *giovane*, uno di quei ragazzi della pubblicità della Coca-Cola. Mi fa sentire flessibile, adattabile, mi fa capire che posso sedermi per strada se voglio, senza paura di sporcarmi il vestito. (Come la mia ragazza ideale.)

Sto talmente bene in casa da solo, con lo stereo acceso, che mi sento proprio nel mio film e a volte vorrei che qualcuno mi vedesse, perché lì sono veramente io, con tutte le mie sfumature, e basterebbe guardarmi per annientare ogni stupida discussione. Non mi dovrei giustificare.

Stare a casa la sera solo mi piace un sacco. È come una droga: leggo, ascolto la musica, ballo, disegno, faccio le bolle di sapone e sto da Dio. Per questo ho paura che farò fatica a trovare una compagna o una moglie. Ma le cose poi cambiano vero?

Immaturo, immaturo, immaturo.

Ultimamente ho più tempo. Riesco a organizzarmi meglio e capita spesso anche che cucini, ovviamente se mi faccio la pasta la mangio in bianco, con olio e grana.

*Nella semplicità si nasconde il divino.*

Il grana è una cosa che nel mio frigo non manca quasi mai, mi ha salvato da un sacco di situazioni affamate. Al grana devo molto.

La settimana scorsa ho avuto mezza giornata libera e mi sono fatto addirittura una torta, una splendida crostata con la marmellata. Da quando vivo da solo ho usato il forno solo un paio di volte, ma devo dire che a fare le torte non sono male, certo non bravo come a mangiarle. Sicuramente ti ricordi che c'è stata un'estate quando ero piccolo che sono andato a fare il pasticcere per guadagnarmi un po' di soldi, e da allora non ho mai dimenticato come si fa la pasta frolla. Ho ancora la ricetta in mente:

*3 kg di farina*
*16 tuorli*
*1 kg di zucchero*
*1800 grammi di burro*
*vaniglia*

Se decidi di farla parti da 700 g di farina perché la ricetta è quella della pasticceria e con 3 kg ne esce un sacco.

# Minestrone on line
## (sabato)

Ciao Nico, oggi è sabato.

Questa mattina mi sono svegliato alle undici e posso fare colazione con calma. Che bello fare colazione senza fretta, che bello fare colazione quando ti svegli e hai fame. Odio a volte avere tempo ma non avere fame. Quelle mattine che hai tempo ma non hai voglia di niente. Che spreco di gusto.

Oggi ho tempo e ho anche fame. Molta fame. *Starving*. Succo di frutta, caffè macchiato, biscotti, tè, spremuta d'arance, fette biscottate, burro, marmellata. Metto in tavola anche cose che so già non mangerò, ma fanno bene agli occhi e al mio umore.

Il tavolo sembra la vetrina di una pasticceria. Una pasticceria di gusto.

Accendo lo stereo e cerco un cd adatto per la colazione abbondante di un sabato mattina senza fretta. Faccio scorrere lo sguardo sulla mensola e sono indeciso tra: Nina Simone, Dusty Springfield, Caetano Veloso, Thievery Corporation, Frank Sinatra e la colonna sonora del film *Il grande freddo*.

Scelgo *Il grande freddo*. Grande colonna sonora, Marvin Gaye, The Temptations, Aretha Franklin... Decisamente tutta un'altra colazione. Controllo bene che non manchi nulla perché non mi voglio alzare fino a quando non ho finito. Mi siedo, mangio e ascolto la musica. La fetta biscottata con burro e marmellata entra per metà nella tazza del tè, e quello è il momento più difficile, perché non la voglio togliere troppo presto e mangiarla dura, ma non voglio neanche che mi si rompa a metà e mi caschi dentro. Quando mi succede rischio di *incrinare* il mio buon umore. Una frazione di secondo che può cambiare tutto. *Sploff!*

Mastico e penso alle cose che devo fare.

Dunque: la spesa, comprare l'olio per la lanterna, la prolunga del telefono e assolutamente riconsegnare la videocassetta da Blockbuster.

A volte ci metto così tanto a restituire le videocassette che costerebbe meno produrre il film che affittarlo. Vedo la custodia sul videoregistratore e mi viene da star male nella pancia. Mi crea più ansia delle bollette.

Finisco di fare colazione e finisce anche il cd. Per la doccia ci vuole qualcosa di più movimentato da ascoltare; metto *August and Everything After* dei Counting Crows.

Faccio scendere l'acqua nella doccia mentre butto tutti i panni scuri nella lavatrice che accenderò prima di uscire di casa. Mi spoglio e entro nella doccia. L'acqua è bollente e i vetri sono già appannati. Regolo la temperatura per non ustionarmi e mi faccio una gran doccia. Di quelle che quando hai finito di lavarti ti fai scorrere per qualche minuto il getto caldo sul coppino e godi.

Prima di chiudere l'acqua lavo un paio di mutande e una maglietta. Mi piace lavare i panni sotto la doccia.

Esco e non c'è l'accappatoio. Mi asciugo un po'
con un asciugamano e poi vado a prendere l'accappatoio di là, lasciando impronte e gocce d'acqua per
la casa. E poi chi pulisce?

Io!

Freddo, freddo, freddo.

Ho tutta la pelle d'oca dura. Deodorante, cotton
fioc (che sono una goduria quasi come quella sessuale), mi lavo i denti, mi vesto e sono pronto per
uscire. Occhiali da sole, non tanto per il sole ma per
intimità con me stesso. Dietro agli occhiali mi sento
comunque separato dagli altri. Più protetto e sicuro.

Subito la videocassetta. La butto nella buca appo-
sita del negozio e provo un senso enorme di libera-
zione. Fatto. Vado al mercato e compro frutta e un
po' di verdura per fare il minestrone. Poi qualche in-
censo e qualche candela.

In una bancarella tipo ferramenta chiedo una
prolunga per il telefono e l'olio per la nuova lanterna che mi ha regalato mio padre. L'olio non ce l'hanno, hanno il petrolio ma fa troppa puzza in casa, così compro solo la prolunga e vado da un'altra parte.
In un'altra bancarella trovo l'olio. Torno verso casa,
e nel negozio di Giacomone compro l'acqua, la pasta, lo zucchero, il caffè, il miele e delle mozzarelle.

Giacomone mi dice che tra un paio di mesi chiu-
derà e se ne andrà in pensione. Mi spiace. Mi spiace
veramente. Ho la sensazione che mi portino via
qualcosa che mi appartiene. Salgo in casa con la
spesa e quando la appoggio davanti alla porta per
prendere le chiavi ho le dita tutte rosse e dove c'erano i manici dei sacchetti di plastica ci sono delle
strisce bianche. Lì non c'è sangue. Si è interrotta la
circolazione. Faccio fatica a dividere le dita, sem-

brano incollate. Entro. Sistemo le cose nel frigorifero, il minestrone lo farò domani.

Mi piace fare il minestrone, mi piace pulire le verdure, tagliarle, mescolarle. Credo che ci sia addirittura qualcosa di religioso nel fare il minestrone, anzi ne sono convinto.

Io credo nel minestrone.

E poi quando lo mangio mi sembra che mi sto facendo del bene, che mi sto prendendo cura di me. Sistemo i sacchetti di plastica sotto il lavandino, poi metto l'olio nella lanterna. Accendo per vedere se fa fumo o puzza e scopro che se tengo la fiamma bassa non succede niente. Puzza e fumo solamente con la fiamma alta. Soffio e si spegne.

La prolunga del telefono l'ho comprata perché oggi un mio amico verrà a installarmi Internet. Anch'io sono crollato e caduto nella rete. Mentre ero fuori, la lavatrice ha fatto il suo dovere e ora tocca a me. Devo stendere. E stendo. Che buono che è il profumo di bucato. Mi ricorda sempre mia madre. Anche se i miei panni puliti non sono mai profumati come quelli di mia madre.

Mi metto a letto a leggere e anche se mi sono svegliato alle undici, mi addormento. Verso le due suona il citofono: è Filippo, il mio amico che mi installerà Internet. Mezzo rincoglionito vado ad aprire.

Filippo sale, entra, e poco dopo inizia a trafficare sul mio computer. Mi parla di modem, provider, accessi, connessioni, e altre cose che io non capisco più di tanto. Sono un po' imbarazzato dalla mia ignoranza verso queste cose tecnologiche.

Metto su l'acqua per la pasta. E parlo di sale, sugo, soffritti, grana. Dopo un po' che navigo tra i fornelli, la pasta è pronta, clicco sullo scolapasta, verso il sugo e servo a tavola per me e Filippo una gran pasta, pomodoro e grana punto com da urlo.

Mangiamo mentre mi spiega un po' di cose, di questo magico mondo della rete. Internet in casa lo voglio soprattutto per poter riallacciare dei contatti via e-mail con le persone che ho conosciuto viaggiando nel mondo. Caffè, sigaretta, qualche clic al computer ed è tutto pronto. Posso navigare. Posso mandare le mie e-mail.

Filippo se ne va, deve andare in montagna, e io rimango davanti al computer e mi sento un bambino solo alla fiera del *Futur Show*.

Vado a cercare in una scatola gli indirizzi e-mail dei miei amici e poi mi rimetto davanti al computer e scrivo. Non sono molto bravo a scrivere in inglese e tutte le mie e-mail iniziano con: «*Sorry for my English...*».

Dalla mia cucina partono messaggi per New York, per l'Australia, per il Canada, per la Thailandia, uno per Bologna e uno per il Costa Rica.

Che figata. Se penso che si può fare già da un sacco di tempo, mi chiedo perché ci ho messo tanto. Qual è il mio problema verso tutto il mondo della tecnologia? Perché sono così restio? Perché mi sembra che queste cose siano male? Quasi come se dietro ci fosse il diavolo... Come se la tristezza di Giacomone e il fatto che chiuda il negozio siano in qualche modo colpa anche di queste cose.

Penso a tutto quello che potrò fare ora, quante cose potrò scoprire, penso al futuro e mi accorgo di quanto sono indietro e in ritardo.

Ignorante, ignorante, ignorante.

Devo impegnarmi a capire e sforzarmi un po' per sfruttare a modo mio questo mezzo potentissimo.

Non voglio dire che adesso controllerò le azioni finanziarie, o che farò la spesa via Internet, ma potrei veramente andare da qualche parte nel mondo e scrivere o registrare qualcosa per la radio e fare arrivare tutto il mio materiale via Internet.

*Penso al mio futuro e sogno mondi lontanissimi.*

Arriva sera e sono ancora a casa. Sono rimasto davanti al computer tutto il giorno. Il tempo è volato e non me ne sono nemmeno accorto. Si è fatto quasi buio, e il computer mi ricorda quanto il tempo sia relativo.

Ieri dei miei amici mi hanno chiesto se questa sera volevo andare a una festa con loro. Sapevo di non avere niente da fare ma ho detto che forse ero impegnato e che dovevo vedere se riuscivo a liberarmi. Questo è un altro dei miei problemi. Prendermi un impegno mi agita. L'idea mi spaventa. Anche solo per una stupida cena, non riesco a dare una risposta definitiva, sono sempre al rimando, «vediamo, poi ti dico, adesso non so, ti richiamo io dopo...».

Un «forse non posso ho un impegno» mi tranquillizza. Così, come spesso va a finire, alla fine anche questa sera sono rimasto solo.

È arrivato il momento di accendere la mia nuova lanterna a olio. Tolgo il vetro, accendo lo stoppino, regolo la fiamma con la rotellina sul fianco, rimetto il vetro e rimango un po' a fissarla. C'è qualcosa di romantico in questa lanterna, e io ne sono catturato.

Mi viene in mente che quando ero piccolo, avevo circa sette anni, vicino a casa mia c'era una piccola azienda che faceva lanterne. Io andavo sempre lì a girare con la bici perché mi piaceva un'operaia.

Non ero innamorato, ma mi piaceva un sacco. Giravo con la bici e quando usciva alle sei le cantavo ad alta voce una canzone di Viola Valentino che diceva: «Comprami... io sono in venditaaaa». Un giorno mentre la cantavo ho picchiato il pedale della bici sul marciapiede e sono caduto davanti a lei. Cazzo che botta. Non ci sono più andato.

Ma torniamo alla mia lanterna. La fiamma protetta dal vetro rimane più ferma di quella delle candele, ed è anche più cicciotta. Dopo un po' che la fisso diventa come una porta dalla quale entro e mi ritrovo immerso in tutte quelle storie che mio padre mi raccontava da piccolo, di quando in campagna stavano tutti nella stalla la sera con le lanterne, e le nonne raccontavano le storie.

Storie che a lui aveva raccontato sua nonna.

Vedo quel passato e anche qui immagino, *immagino mondi lontanissimi*.

Sono affascinato da questa lanterna quanto lo sono da Internet.

Al di là della fiamma, la lanterna però ha qualcosa di più caldo. Forse perché Internet – non conoscendolo bene – mi spaventa ancora un po'.

Comunque oggi è stata una grande giornata. Ho fatto un salto avanti e uno indietro. O forse sono rimasto semplicemente nello stesso posto. Questo è il bello. E domani?

Domani minestrone.

# Scelte

Pensa se invece di fare il DJ in una radio facessi lo scrittore o il fotografo del «National Geographic»... potrei andare all'estero o anche rimanere in Italia, ma via dalla città. Magari in qualche baita di montagna, o in qualche casa in riva al mare. Anche se preferirei immaginarmi in posti come Tulum in Messico, dove sono stato due anni fa, bungalow sulla spiaggia senza corrente elettrica: solo candele e stelle.

Oppure a Cahuita in Costa Rica... *pura vida*. O a Negrill in Jamaica, o in Thailandia, in India, in culo al mondo, ma via! Non per sempre: sei, sette mesi l'anno, poi torno. Scrivo il mio bell'articoletto, scatto le mie belle fotografie, poi Internet, la redazione scarica, stampa, mi sgancia un bonifico sul mio conto corrente, prelevo con la carta di credito, mi compro il rullino nuovo e ricomincio.

Mica male come progettino... eh?

Ho pensato molto a questa cosa di viaggiare più spesso, e magari fermarmi un po' a vivere in qualche posto dove non devo mettere le scarpe, dove non c'è il traffico e tutti quei luoghi comuni lì. Mi sono detto: «O lo fai adesso o non lo farai più», ma sai qual è il motivo che mi frena, anzi i motivi?

Il primo è la famiglia: anche se non vivo più con loro, posso comunque andare a trovarli, e mi dico sempre che un giorno non ci saranno più, quindi vorrei godermeli il più possibile. Anche se, come ti ho già detto, poi alla fine li vedo pochissimo.

Il secondo motivo è questa fottutissima paura del futuro. Anche se alla domanda «Cosa fai domani?» amo rispondere «Non so nemmeno cosa farò tra dieci minuti figurati se so cosa farò domani», per sembrare che vivo alla giornata, in realtà inconsciamente mi sono accorto che sono terrorizzato dal futuro. Se mollo tutto, dopo la fatica che ho fatto per fare il lavoro che volevo, poi magari quando torno mi accorgo che ho perso il treno per sempre, e mi tocca fare quello che trovo.

Cinque anni di contratto con aumento e nuovo incarico: *collaboratore*.

Mollare tutto è coraggioso o significa scappare?

Rimanere e impegnarmi in quello che faccio è coraggioso o significa arrendersi?

A volte mi chiedo se dovrei fare un mutuo per la casa. Se accettassi questo contratto, con l'aumento potrei pagarmi un mutuo.

Io ho un rapporto strano con i soldi, soprattutto con i mutui. Mi dico: «Invece di pagare l'affitto, faccio un mutuo di dieci anni», poi penso che ho ventotto anni e che quando finirò di pagarlo ne avrò trentotto, e mi sembra tutto così lontano e inimmaginabile che alla fine smetto di pensarci. Soprattutto perché firmare un mutuo di dieci anni mi fa sembrare che ne ho già trentotto, e che sono entrato nel mondo dei grandi.

Il futuro, la carriera, la casa, i risparmi sono radicati nella mia memoria cerebrale. Per quanto io li rifiuti, ogni tanto vengono a galla e mi fanno pensare.

Sono reazioni automatiche, a forza di sentirne parlare da tutti certe idee diventano anche tue, come quando a qualcuno dici che ti piace il *Maggiolino* della Volkswagen e quello risponde subito che è bello ma beve un casino. O come quando rompi qualcosa di vetro, c'è sempre chi ti dice di stare attento a non tagliarti e di non camminare a piedi nudi. Ogni volta che in un posto due ragazze vanno in bagno, c'è sempre qualcuno che dice: «Perché le ragazze vanno sempre al bagno insieme?». E lo dice pensando di essere un originale e acuto osservatore. Automaticità del cervello.

Sono pensieri legati da un filo invisibile. Forse perché il nostro modo di parlare è strettamente legato al nostro sentire.

Hai notato che nei paesi le ragazze si sposano prima? Per forza, iniziano a sentire quelli che quando le incontrano per strada dicono: «Allora ce l'hai il moroso? Cosa aspetti a sposarti? Saresti una bella sposina». E queste magari hanno diciannove anni e gli entra il seme nel cervello. Si guardano intorno e vedono che da loro tutti si aspettano questo, e al primo periodo di noia si sposano. Non è sempre così ovviamente, ma...

Insomma, tornando al discorso di prima, non riesco a capire se sia giusto sacrificarsi per un futuro migliore o se sia meglio vivere giorno dopo giorno il presente, rischiando magari di non avere nessuna garanzia per il futuro.

Ma la vita è veramente come il gelato biscotto vaniglia e cioccolato? Quando andavo all'oratorio da piccolo compravo sempre il gelato biscotto. Era diviso in due, metà vaniglia e metà cioccolato. Io preferivo la vaniglia, allora iniziavo a mangiarlo dal cioccolato, così me la tenevo per la fine. Da vero cattolico mettevo il sacrificio davanti e la goduria dopo. Una volta a metà mi è caduto, proprio quando dovevo mangiare la vaniglia... *ploff!* Per terra. Una volta solamente. È successo solo una volta. E se la mia vita fosse proprio quella volta?

Non so, ma forse bisognerebbe dare un morso di qua e un morso di là. Non riesco a capire se la sicurezza è amica o nemica della libertà.

La sicurezza è amica o nemica della libertà?

Tu magari puoi rispondermi, magari tu ora lo sai.

Con questo non voglio dire che se non accetto di firmare il contratto parto per il mondo, magari non vado da nessuna parte e non cambio nemmeno lavoro, ma mi sentirei comunque più libero, senza tutte quelle responsabilità che si nascondono dietro le parole *collaboratore*, *aumento*, *cinque anni*.

Terzo motivo per il quale non sono ancora partito è che magari mi piacerebbe vivere in un posto senza stress, smog, telefonini ecc., ma vorrei che ci venissero anche le persone a cui voglio veramente bene. Io voglio essere felice, ma voglio vivere e dividere la mia gioia con qualcuno a cui voglio bene.

Concludendo, sono in gabbia e tutto questo sfogo non è altro che il lamento di chi ne è consapevole e sa anche che tutto dipende solo da lui. Sono io stesso il mio carceriere.

Ho iniziato scrivendoti che sono confuso, che non so cosa voglio, che sono sempre stato pronto a rimettere tutto in gioco. Ma poi mi sono accorto che ho paura a lasciare il mio lavoro per la paura di perderlo. Alla faccia della confusione.

Dov'è la luce dopo il tunnel? Dov'è la primavera dopo il lungo inverno? Dov'è la casa?

Ogni volta che ho viaggiato sono riuscito a riflettere sulla mia vita, perché guardandola da lontano riesci a «figurartela» meglio. È come se guardassi la vita di un altro e non la tua, e poi quando sei lontano da tutto e da tutti capisci quali sono le cose a cui tieni di più, che ti premono veramente.

Io dopo un mese che stavo via ho capito quanto era bello fare la spesa da Giacomone sotto casa, mi ricordavo anche il profumo e mi piaceva, ma quando ci andavo non lo notavo. Ho capito quanto è bello aprire la mia finestra in camera la mattina quando mi sveglio. Ho capito quanto è bella la mia bicicletta e il sorriso di certe persone che magari, preso dalla foga, noto poco. Spesso in un paese lontano scopri le meraviglie della tua vita.

Nico, tu almeno su questo hai finalmente le idee chiare?

Dammi risposte.

# Appunti

È tutta questione di tempo, è tutta una questione di spazio-tempo.

Tutto è relativo.

Se mi dicessero che domani ci sarà la Terza guerra mondiale, ci rimarrei male, mi dispiacerebbe e mi incazzerei come una bestia.

Ma mi incazzo anche quando, aprendo lo yogurt, la pellicola d'argento si rompe a metà e per toglierla devo farla a mille pezzettini e mi sporco tutte le punte delle dita.

Certo, se aprendo lo yogurt (anche con le dita sporche) mi ricordassi che non sono in guerra, non mi incazzerei.

Tutte le volte che ho le mani occupate, dalle borse della spesa o da pacchi, se libero la mano destra le chiavi sono nella tasca sinistra, se cerco nella giacca, le chiavi sono nei pantaloni.

Anche se so che c'è chi una casa non ce l'ha, in quell'esatto momento penso di essere troppo sfigato e butterei la spesa e i pacchi in mezzo alla strada. Anche quando ho la borsa della palestra sulle spalle e mi accorgo che ho una scarpa slacciata e cerco un gradino per allacciare la stringa... mi abbasso e la borsa mi cade in avanti!

Mi vien su un nervoso!

Mi chiedo: si può vivere la propria vita pensando ogni istante, ogni giorno che c'è chi muore di fame, chi è in guerra, chi è malato ecc. ecc.? Se sì, è giusto comunque lamentarsi perché si è stati lasciati, perché si è sfortunati in amore, perché non si hanno i soldi per comprare una macchina nuova ecc. ecc.? Per cosa è giusto lamentarsi?

Io lo so che c'è gente che sta peggio di me, ma non riesco a smettere di lamentarmi.

*Ci sono due tipi di problemi nella vita. Quelli senza soluzione e quindi è inutile preoccuparsi e quelli che una soluzione ce l'hanno e quindi è inutile preoccuparsi.*

La terra nello spazio è come un granello di sabbia su una spiaggia. «Più allarghi la veduta dello spazio temporale più deve essere facile incazzarsi meno.»

Questa frase me l'ha detta un ragazzo canadese quando ero a Manuel Antonio in Costa Rica. Ho passato una notte intera a farmi canne e a chiacchierare di microcosmo e macrocosmo (in inglese), quindi non c'ho capito molto (come al solito), ma una cosa mi è rimasta in mente: la chiacchierata sulla materia. (Tieni presente che con il mio inglese se all'estero mi legano le mani muoio di fame.)

Nicholas e io ci siamo intrippati sul fatto che la materia non è altro che un insieme di particelle che vibrano a una certa velocità. Attorno a queste particelle ruotano altre particelle che non si toccano mai, come i pianeti intorno al sole per esempio.

La nostra pelle sembra compatta e unita ma in realtà nell'infinitamente piccolo c'è dello spazio, anche se noi non lo vediamo. Noi siamo come l'universo. Siamo formati da mondi che girano attorno ad altri mondi, e a nostra volta facciamo parte di un organismo talmente grande da non poterlo vedere tutto intero e che quindi ci appare indecifrabile. Guardando da una prospettiva gigantesca, l'essere umano potrebbe sembrare un virus che attacca la terra.

Immagina per me, che oltre alle canne, chiacchieravo in inglese... il giorno dopo ho preso il mio cervello e l'ho buttato a calci nel mare: non ha galleggiato nemmeno un secondo.

Il problema?

Il problema è che ogni cosa che mi dicono, ogni cosa di cui discuto, invece di aiutarmi mi complica la vita. Più mi do da fare per capire, più domande mi faccio. E più scopro che non so. Che nervi.

Che nervi, che nervi, che nervi.

Più cose ho nell'armadio, più non so cosa mettermi. Mia madre e mio padre conoscono solo come si vive in Italia. Anzi, loro addirittura vivono nella stessa città dove sono nati. Io non so nemmeno in che città vorrò stare, in che paese vorrò vivere. Non ho ancora capito se sono un uomo da città, da spiaggia ai Caraibi, o un eremita che potrebbe sperdersi in qualche foresta.

I miei questo problema non l'hanno mai avuto, perché non hanno mai visto come vive un rasta in Jamaica.

Ti faccio un altro esempio: mi hanno chiesto se credo alla reincarnazione e non lo sapevo. Cioè, ne ho sempre sentito parlare, anch'io ne ho parlato, ma non so se veramente ci credo o no, non ci ho mai pensato. Non mi sono documentato a fondo, a volte sembra che ci credo, a volte no. Di solito, se ne parla uno che mi è simpatico, tendo a crederci. Se lo dice uno che mi sta sul cazzo, tendo a dire che sono tutte stronzate.

Tu ti sei documentato?

Su queste cose hai le idee chiare o sei ancora come me? Sono terribilmente confuso, inerme, sballottato, e mi lamento.

A volte credo semplicemente di essere affezionato al mio lamento, al mio personaggio che si lamenta e si sente alternativo. Ma il fatto è che veramente queste cose le scrivo con grande sincerità.

Credo che in fondo le cose non cambiano mai, sono le persone a farlo, devo semplicemente trovare il miglior punto di vista per me, quello che mi fa stare meglio. Invece mi lamento semplicemente perché è più facile e perché – se devo veramente andare nell'intimo più profondo tanto da vergognarmene – devo ammettere che convivo con una piccola presunzione: la convinzione di una specie di superiorità spirito-intellettuale. Presuntuosetto-finto-umile.

Sono come uno che ha problemi di vista, e invece di mettermi gli occhiali, aspetto. Protesto, pretendendo che tutto il mondo cambi e si metta a fuoco per me.

Devo solo mettermi gli occhiali, ora lo so e sono già meno presuntuoso. Certo che voi esseri umani...

Il disagio che provo ogni tanto con certe persone, ti assicuro che non è presunzione, superbia o simili, ma giuro che vorrei mettermi della Nivea nelle orecchie per idratare e ammorbidire le cose che sento. Mi hanno detto che bisogna imparare ad adattarsi senza perdere la propria essenza, che bisogna essere come l'acqua, che se messa in un bicchiere prende la forma del bicchiere, se messa in una bottiglia prende la forma della bottiglia. Adattarsi e cambiare forma senza mai perdere la propria essenza.

Io ci provo, ma a volte mi versano in uno scolapasta e mi perdo in mille buchini.

L'amore potrebbe essere la soluzione a tutto questo. Crearmi un mondo incantato con una donna e isolarmici dentro, con le giuste distanze ovviamente. L'amore ha bisogno di distanze, ne ha bisogno per respirare, come il fuoco ha bisogno di aria per alimentarsi.

Che bello: a livello teorico so tutte queste cose, poi a livello pratico non so mettere insieme due più due.

Immaturo, immaturo, immaturo.

Nel frattempo, continuo ad amare Magritte, l'occhio con il cielo dentro (*Il falso specchio*), le scarpe con le dita dei piedi (*Il modello rosso*), la tela e la finestra (*La condizione umana*) e tutti i suoi meravigliosi cieli azzurri.

Continuo a ricercare la capacità di sognare senza per forza dover andare a dormire, quella stessa capacità che avevo da bambino.

Chissà se quando ero bambino mi rendevo conto di quanto stavo bene? O magari sono io che adesso ricordo di più le cose belle.

C'è bisogno di tempo, c'è bisogno di distacco. Come quando fai una foto e ti sembra tutto normale, poi la riguardi dopo dieci anni e dici: come ero pettinato? Come ero vestito? È difficile capire le cose quando ci sei troppo dentro.

Con il tempo molte cose brutte diventano ironiche e divertenti. Tra queste per esempio mi ricordo di una volta che avevo circa sei anni e un ragazzo più grande, il classico bullo, mi aveva detto: «Senti, ti conviene tagliare la corda».

Io, non sapendo che era un modo di dire, ho risposto molto gentilmente: «Se mi dai la corda la taglio».

Erano le tre del pomeriggio, ha smesso di menarmi al tramonto. Fortuna che era un appassionato dell'*Almanacco del giorno dopo*.

Un ricordo bello invece è quello della mia base segreta dietro il divano. Ci rimanevo delle ore a giocare. Era il mio nascondiglio.

Voglio tornare bambino, voglio annusare la Coccoina, voglio spalmarmi il Vinavil sulle mani e poi togliermelo come se fosse una pellicina. Voglio usare i pennarelli per poi avere tutte le dita piene di piccole striscette colorate. Voglio rubare la merenda ai grandi. Voglio credere che il mio soldatino si sposti all'ultimo momento e schivi il proiettile. Voglio credere che l'astronauta è un lavoro che si può fare solo la notte, perché di giorno non ci sono le stelle per atterrare. Voglio credere che un mio amico è un mio amico sempre, e non ti tradisce mai. Ma soprattutto voglio credere che Babbo Natale il carbone te lo porta *solo* se sei stato cattivo.

Voglio credere a un sacco di cose, ma non sempre posso. In questo mondo sono costretto a difendermi dagli squali ed è difficile essere sempre fiducioso.

Spesso nella vita, come nel lavoro, essere gentili ed educati viene scambiato per una debolezza. Aggressivo uguale forte. Mia madre mi ha sempre insegnato che più grande è il coltello più piccolo è l'uomo.

Mi difendo come posso.

Ho persino pensato di scrivere un libro, così, per inventarmi un personaggio che possa vivere le cose che io non posso vivere, un personaggio che viva in un mondo tutto suo, dove ognuno possa ritornare e ritrovarsi, o semplicemente scrivere una storia per il gusto di inventare, o creare qualcosa che prima non esisteva.

Un racconto dove poter far scorrere la propria fantasia.

Quando mi compro un quaderno o un bloc-notes nuovo, sono sempre molto eccitato. Mi fa impazzire vedere quelle pagine nuove bianche e divento curioso. Curioso di sapere come le riempirò, con quali parole, come se venissero da lontano e diventassero mie solamente nel vederle scritte. Divento curioso di me. Capita che a volte rileggo cose che non ricordavo più di aver scritto. Mi piacciono e penso: «Cazzo ma l'ho proprio scritto io?».

Ed è bello scoprire che di te ti puoi ancora stupire.

Una volta ci ho provato, a scrivere un libro, ho buttato giù un'idea: volevo raccontare un rapporto di amore profondo tra un padre e una figlia.

Il padre era malato di cuore e, a un certo punto della storia, lei scopre di essere sieropositiva. Da quel momento, ogni giorno che passa spera che il padre possa morire prima di lei, perché sa che se morisse prima lei sicuramente morirebbe anche lui di crepacuore e lei non potrebbe sopportare l'idea di essere la causa della sua morte.

L'ho fatto leggere a un mio amico e lui mi ha detto di smetterla di farmi le canne.

A volte scrivo semplicemente delle frasi per ricordarmi un concetto, frasi o parole che anche se finiscono in mani sbagliate nessuno le capisce perché sono come in codice.

Ho un bloc-notes con scritto:

*Donne – legge del filotto.*
(O sono solo o se mi metto con una tutte le altre che non mi hanno mai cagato mi cercano.)

*La mattina pancia bella piatta.*

(Quando mi sveglio ho la pancia che vorrei, ma poi già dopo il caffè esce tutta.)

*Palestra meno cibo – cibo più palestra.*
(Quando andavo in palestra finivo prima e mi dicevo mangerò meno, quando mangiavo dicevo farò un po' più di palestra.)

*Lavo denti sputo risciacquo lavandino.*
(Quando mi lavo i denti sputando l'acqua mi piace pulire il lavandino.)

*Paura: controllare soldi prima di entrare in un negozio.*
(Ovvio.)

*Voce dice: ammazza tutti poi si vede.*
(Ogni tanto sto parlando con qualcuno oppure sono in un posto e mi immagino di ammazzare tutti. Come mi giustificherei? «È sempre stato uno tranquillo» come direbbe un mio vicino intervistato dal Tg.)

# Fine

Nico, ho 28 anni e mi si chiede cosa voglio fare della mia vita. Voglio fare questo lavoro? Voglio accettare questa grande occasione? O voglio rinunciare anche questa volta per assaporare quella sensazione di leggerezza e libertà che provo ogni volta che rifiuto un incarico pieno di responsabilità e di garanzie per il mio futuro?

Vorrei stare tranquillo, non voglio essere mangiato dai pesci più grandi ma nemmeno essere costretto a mangiare io quelli più piccoli. Voglio stare fuori da questo gioco, ma devo decidere, decidere ora.

Vorrei non doverci pensare, a volte vorrei sentire semplicemente quella sensazione che provo quando dormo nel sacco a pelo guardando le stelle. Ma sinceramente mi piace anche molto starmene in casa, mi piacciono molto anche le lenzuola pulite e profumate, la luce soffusa, il frigorifero, il forno, i tappeti, le candele e gli incensi, i miei libri, i miei cd, le fotografie, i piatti, le scodelle, i bicchieri, le tazzine, il latte con i biscotti, il budino, la pasta, il pane, il caffè fatto con la moka, la doccia, la vasca da bagno, i cuscini, il computer, il suono del mio stereo, il videoregistratore, il suono del mio campanello, il pavimento e il soffitto.

L'equilibrio, le carezze e il silenzio.

Ho voluto viaggiare per capire. Ho dovuto anche sapere che quando bacio una donna che mi piace veramente, mi si alza la pressione. Che si muovono 29 muscoli della faccia, che si possono bruciare anche 150 calorie, che il battito cardiaco sale a 150 e che ci si scambiano 250 tipi di batteri.

L'ho dovuto sapere per capire che anche saperlo non mi fa provare un'emozione maggiore, quando bacio una donna.

Ho il sospetto che la vita non sia solo un andare, ma soprattutto un tornare. Che non sia solo un mettere, ma soprattutto un togliere.

C'è chi decide di rimanere *a casa* perché sta bene e non ha bisogno di andare a scoprire il mondo, e chi invece lo deve girare, provare, fare esperienze, per capire che magari non c'è niente di particolarmente nuovo ma per capirlo ha bisogno di viaggiare.

Che faccio, che farò?

La casa o la strada? La casa o la strada? La casa o la strada?

Quando nella vita mi sono trovato in difficoltà a un certo punto mi sono sempre detto: «Forse è meglio se torno a casa». Poi ci tornavo e appena avevo chiuso la porta facevo un bel sospiro e stavo già meglio.

Casa, tranquillità, sicurezza, serenità.

La casa, la casa, la casa.

*Perché non pensi di non capire quando capisci di non pensare?*

La strada, la strada, la strada.

Boh! Boh! Boh!

Per questo ho deciso di scriverti, perché ora sono confuso e volevo sapere se lo sarò anche tra qualche anno. Questa lettera che mi sono scritto, sarà il mio regalo di compleanno, perché quando la leggerai io sarò con te. Io sarò te, anzi, una parte di te.

Nel frattempo in questi cinque anni sarò cresciuto e tu avrai visto molte più cose. Probabilmente avrai altri obbiettivi, sogni e paure. Magari sarai meno egocentrico di me, perché io ci sto lavorando sopra per diventarlo. I risultati non sono ottimi, come avrai notato, con tutte le persone alle quali avrei potuto scrivere questa lettera, l'ho scritta a me stesso.

Sono curioso di vedere come sarò tra cinque anni, e tu sarai curioso di sapere com'eri.

Anche se potrei morire prima, in questi cinque anni che ci separano, io ventotto, tu trentatré.

Pensa, se io morissi in questo istante tu non leggeresti mai questa lettera, e chissà questi pensieri dove potrebbero finire. Ma spero di arrivarci, per poterla rileggere e rispondere alle domande che mi faccio.

Ciao Nico,

*Nico*

«Esco a fare due passi»
di Fabio Volo
Oscar bestsellers
Arnoldo Mondadori Editore

Questo volume è stato stampato
presso Mondadori Printing S.p.A.
Stabilimento NSM – Cles (TN)
Stampato in Italia. Printed in Italy

50499
2005